ENCUENTRO
CON EL
MAESTRO

La historia de un joven
en busca de un Maestro de Yôga

AO MEU QUERIDO AMIGO
GUILHERME,
COM PROFUNDO CARINHO.

Maestro DeRose

ENCUENTRO
CON EL
MAESTRO

La historia de un joven
en busca de un Maestro de Yôga

PRIMERA EDICIÓN

EDITORIAL
kiER

Desde 1907 un sello positivo
para un mundo que merece serlo

Maestro De Rose
   Encuentro con el Maestro - 1a ed. - Buenos Aires : Kier, 2005.
   160 p. ; 20x14 cm.

   ISBN 950-17-0635-4

   1. Yoga. I. Título
   CDD 181.45

Título original en portugués:
Encontro com o Mestre
1ª edición en Brasil:
Matrix Editora, Rua Oscar Freire, 1319 - 20
São Paulo - SP - CEP 05409-010
www.matrixeditora.com.br
© 2002, Mestre DeRose
Traducción:
Edgardo Caramella - Diana Raschelli
Diseño de tapa:
Ricardo Iazzetta
Corrección de pruebas:
Prof. Delia N. Arrizabalaga
Diagramación:
Mari Suárez
LIBRO DE EDICION ARGENTINA
Queda hecho el depósito que marca la ley 11.723
© 2005 by Editorial Kier S.A., Buenos Aires
Av. Santa Fe 1260 (C 1059 ABT), Buenos Aires, Argentina.
Tel: (54-11) 4811-0507   Fax: (54-11) 4811-3395
http://www.kier.com.ar - E-mail: info@kier.com.ar
Impreso en la Argentina
Printed in Argentina

Señor Librero:

Este libro no es de autoayuda ni de terapia y, mucho menos, de esoterismo. No tiene nada que ver con Educación Física ni con deportes. El tema YÒGA merece, por sí solo, una clasificación aparte.

Así, esta obra debe ser catalogada como YÒGA y ser expuesta en el estante de YÒGA.

Agradecido,

el Autor.

MAESTRO DeROSE

El Maestro DeRose es el fundador de la Universidad de Yôga. Con casi 50 años de magisterio, más de 20 libros escritos y 24 años de viajes a la India, recibió el reconocimiento del título de Maestro en Yôga (no académico) y Notorio Saber por la FATEA – Facultades Integradas Teresa d'Ávila (SP), por la Universidad de Porto (Portugal), por la Universidad Lusófona, Lisboa (Portugal), por la Universidad Estácio de Sá (MG) y por la UniCruz (RS). Posee título de Comendador y Notorio Saber en Yôga por la Sociedad Brasileña de Educación e Integración; y de Comendador por la Academia Brasileña de Arte, Cultura e Historia. Fue fundador del Consejo Federal de Yôga y del Sindicato Nacional de los Profesionales de Yôga. Fundador de la primera Confederación Nacional de Yôga del Brasil. Introductor del Curso de Formación de Instructores de Yôga en las Universidades Federales de Río de Janeiro, Rio Grande do Sul, Santa Catarina, Paraná, Minas Gerais, Mato Grosso, Bahía, Ceará, Maranhão, Pará, Piauí, Pernambuco, Rio Grande do Norte, etc.; Universidades Estatales de Río de Janeiro, Santa Catarina, Bahía, etc.; PUCs – Pontificias Universidades Católicas de Rio Grande do Sul, Paraná, Minas Gerais, Bahía, São Paulo y otras. En Portugal, fue introductor del Curso de Formación de Instructores de Yôga en la Universidad Lusófona, de Lisboa, y en la Universidad de Porto. En la Argentina fue introductor del Curso de Formación de Instructores de Yôga en la Universidad Nacional de Lomas de Zamora. Es aclamado como el principal articulador de la Reglamentación de los Profesionales de Yôga cuyo primer proyecto de ley elaboró en 1978. Por ley estatal, en São Paulo, Paraná, Santa Catarina, Bahía y Mato Grosso, la fecha de nacimiento del Maestro DeRose fue instituida como Día del Yôga en todo el Estado.

AL LECTOR

Como la mayoría de los lectores sólo suele trabar contacto con uno o dos libros de cada autor, tal vez porque no tiene tiempo de leer todo lo que le gustaría, adoptamos el procedimiento editorial de reproducir algunos de los principales textos de nuestra obra global en más de un libro. Por lo tanto, siempre que encuentre uno de esos fragmentos, no lo saltee. Reléalo con atención. La repetición habrá sido intencional, por tratarse de un asunto de suma importancia.

PREFACIO

Un día, conversando con mi amigo el Prof. Locatelli, presidente de la Asociación de Profesionales de Yôga de São Paulo, él me dio una idea genial. Me dijo:

—¿Se imagina un diálogo entre el joven instructor DeRose, de 1962, con dos años de profesión, y el Maestro DeRose, de cuarenta años después? Me gustaría mucho escribir ese diálogo.

Fue así como, con autorización del creador de la idea, comencé a escribir las acaloradas discusiones entre el joven lleno de idealismo e ilusiones, y el viejo Maestro, ya "dueño de la verdad". La idea es, por lo menos, interesante.

Entiendo que un cuento puede proporcionar al autor más libertad para alcanzar su fin, que es el de transmitir una enseñanza sin estar, sin embargo, limitado por los carriles de la ortodoxia académica.

Aproveché para insertar en los diálogos algunos fragmentos importantes que mucha gente ya leyó en mis otros

Regla áurea del magisterio:
decir lo obvio e incluso repetirlo tres veces.

DeRose

I

MEDITACIÓN

La tarde de martes invitaba a la meditación. Consulté el reloj. Eran las 18:51. Tenía algunos minutos para quedarme conmigo mismo, mientras esperaba la hora para dictar una clase. En el *solarium* de mi casa de seis pisos en el barrio Jardín Paulista, bien en el ojo del huracán —en la confluencia entre Calle de la Consolación, Av. Rebouças y Av. Paulista—, yo podía apreciar la puesta del sol. No siempre hay una tarde tan linda en São Paulo. Allá estaba yo, instalado en el quinto piso, saboreando un sentimiento de realización personal, cuando comencé a hacer una retrospectiva de mi vida.

Hace mucho tiempo que pasé el medio siglo de existencia. Y la vida no va a durar para siempre. ¿Habré cumplido adecuadamente mi misión? ¿Habré enfrentado correctamente los desafíos que surgieron en esta jornada? ¿Habré realizado a satisfacción las ansias de mi costado humano, con sus necesidades profanas, familiares y afectivas? Inevitablemente, la retrospectiva comenzó por la construcción de la casa en que estaba.

Había deseado una casa con apariencia de hogar, de arquitectura normanda, ventanas con corazones recortados en la madera, cortinas de tejido por dentro y canteros con flores del lado de afuera; un jardín, donde pudiese caminar y meditar ...

Siempre supe que ese sueño era una reminiscencia de mi infancia. Vivíamos en una casa situada en un barrio entonces aristocrático de Río de Janeiro. La residencia era enorme, llena de cuartos y con varias salas. Eran aposentos inmensos, si consideramos los padrones actuales. Teníamos la sala de visitas, para recibir a las personas y escuchar nuestros discos (la televisión aún no había sido introducida); el comedor, que generalmente compartíamos con los muchos tíos y primos de una familia *old fashion*; la antecocina, donde hacíamos las comidas informales de todos los días, bien servidas por empleadas sonrientes; allá afuera, canteros con grama y flores; en los laterales del terreno, una cerca viva de árboles; una inmensa cisterna para que jamás faltase agua; había hasta un gallinero, de donde venían los huevos y, una que otra vez, un desafortunado pollo o pato para adornar la mesa, que no era vegetariana. Al fondo, el garaje, y, encima de él, los cuartos de los criados.

Contábamos con una cocinera, una empleada de limpieza, una lavandera y una niñera para mi hermanita. Era un mujerío que no acababa más. Además estaban mi madre, mi hermana y una tía que vivía con nosotros. Durante el día, alguna más de las muchas tías venía a visitarnos. El único hombre de la familia, además de mí, era mi padre, pero él salía temprano para trabajar y sólo regresaba al anochecer. Como la hora de recogerse, para los niños, era a las 20, yo lograba tener un poco de intimidad con mi padre sólo en el período de la cena y durante el rato siguiente cuando la familia se reunía para conversar un poco. Esa convivencia compulsiva con el universo femenino me proporcionó algo de sensibilidad y *politese*.

Después, por mala administración del patrimonio, comenzamos perdiendo la industria, heredada de mi abuelo materno, y que sustentaba a aquella legión de tíos y primos. Más tarde, tuvimos que vender los inmuebles que mis padres poseían para alquilar. Luego vendimos las casas de campo y de playa que teníamos para nuestro descanso en las afueras de Río. Finalmente, tuvimos que vender la propia casa en que vivíamos e irnos a vivir a un inmueble mucho más chico, alquilado. De allí, nos mudamos a un departamento, aun más reducido, aun menos "nuestro". Todo eso generó en mi emocional un deseo de volver a vivir en una casa, una casa propia.

Tuve que trabajar duro, muchos años, para que la prosperidad comenzase a retornar muy lentamente. ¡Hasta que un día conseguí comprar una casa! El dinero no era mucho, por lo tanto, el inmueble tenía un terreno pequeño. Pero estaba bien situado, y eso es lo que importa. Además, la dirección era perfecta: Al. Jaú, n° 2.000. Una calle muy conocida, en un buen barrio, cerca de todo, que se escribía con tan sólo tres letras. Y un número que no precisaba ser anotado, pues era facilísimo de memorizar. Jaú, 2.000. En las inmediaciones había 25 cines, 5 teatros, 15 bancos, 83 restaurantes, y podíamos acceder a todo a pie.

En virtud de eso, comencé a reformar el inmueble y, a medida que los recursos iban entrando, acabé construyendo una casa de seis pisos, que no pudo ser de estilo normando, con ventanitas de corazón y jardineras con flores, pero que finalmente quedó moderna y elegante. El anhelado jardín no fue posible, pero pude proyectar el *solarium* en el quinto piso, donde estaba ahora conversando conmigo mismo.

En el mismo predio funcionan la residencia (en los tres pisos superiores) y la Escuela de Yôga (en los pisos de abajo). Durante más de veinte años viajé por varias ciudades y países de las Américas, Europa y Asia, observando cómo eran las salas de Yôga. Siempre que encontraba una buena idea, la anotaba en mi cuadernito de proyectos para cuando tuviese una casa propia. Así, pude construir una sala de prácticas que es incuestionablemente la mejor del mundo.

Da gusto ver el brillo en la mirada de los alumnos e instructores que vienen a hacer cursos con nosotros. Cada detalle fue proyectado pensando en el bienestar de todos ellos, y eso les encanta. Quise proporcionarles lo mejor; al fin y al cabo, ellos son mi familia, por opción.

Mandé instalar un equipamiento que capta el aire en lo alto del edificio, lo filtra y lo envía hacia dentro de la sala de práctica, renovando permanentemente la provisión de aire fresco y sin polución. Además, hay un ventilador de techo para cada practicante. De esa forma, si uno siente más calor y otro menos, cada cual controla si quiere o no utilizar el ventilador y en qué velocidad. Para los días fríos, calefactores importados de Europa, del tipo radiador, que no queman oxígeno. Para los días más calurosos, aire acondicionado.

El piso está totalmente revestido de un material suave y extremadamente higiénico, tan agradable al tacto que dan ganas de acariciarlo. Con el calor no se calienta, con el frío no se enfría. De esa forma, invita a la práctica, pues siempre proporciona una sensación táctil agradable. El color del revestimiento del piso fue escogido a partir de investigaciones en psicodinámica de los colores.

Desde donde da la práctica, el instructor tiene una serie de controles para efectos de *son et lumière* dispuestos discretamente, de forma que el alumno no los ve.

El sólido equipamiento de sonido profesional posee muchos recursos, y las cajas de sonido están distribuidas por la sala a fin de que el volumen pueda ser bajo para no competir con la voz del instructor y, a pesar de eso, la música —seleccionada con criterio para que produzca los efectos deseados— sea escuchada por todos los presentes.

La iluminación es toda indirecta, a fin de no agredir los ojos de los alumnos. Varias opciones de iluminación: blanca o azul, más fuerte o más tenue. Uno de los interruptores acciona intermitentemente una luz roja del lado de afuera de la puerta. El aviso en la puerta informa que si esa luz está parpadeando, no se debe entrar, pues el grupo está practicando relajación o meditación.

La puerta está revestida de material acústico: no permite el paso de ruidos producidos por alumnos que conversan o se ríen del lado de afuera. Toda la sala está proyectada acústicamente, de manera que la voz del profesor pueda escucharse hasta el fondo, pero la voz de los alumnos no se propague.

En las paredes, de un lado, un pizarrón; del otro, espejos de cristal que cubren dos paredes enteras, para ayudar a los practicantes en sus autocorrecciones.

En un punto estratégico, un indicador luminoso que se encenderá si alguien toca el timbre en la recepción y el instructor está solo en la casa, por ejemplo, en cursos de fin de semana.

Al fondo de la sala, una cámara de circuito cerrado

de TV para que todas las clases puedan ser monitoreadas a fin de garantizar la calidad en el desempeño de los instructores.

Cada vestuario está dotado de un baño privado. Todos los muebles de la casa fueron proyectados especialmente para la mentalidad del practicante de Yôga.

Para evitar incendios, las paredes de todos los pisos están revestidas con porcelanato italiano, que es incombustible y aislante térmico. Todos los pisos están provistos de puertas blindadas antillama. En fin, es la casa perfecta.

¡Estaba tan feliz! Al final, había conseguido realizar mi sueño. Había comprado una vivienda propia y conseguido construirla con un arsenal de detalles de perfección, para seguridad y confort. Y lo había hecho con el fruto de mi trabajo con el SwáSthya Yôga[1], sin pedir dinero a ningún banco.

Deseo intensamente que los demás colegas de profesión también consigan lo mismo, sólo que con menos sacrificios. Para eso, estoy dispuesto a ayudarlos con mi experiencia. Por ese motivo me especialicé en la formación profesional.

Estaba justamente considerando que nuestras necesidades humanas son muy modestas —pues a veces se limitan a poco más que comprar o construir una casa— cuando sonó el teléfono interno. Era mi secretario particular, para recordarme que había concertado una entrevista con un joven instructor que solicitaba una vacante en nuestra Universidad de Yôga. El proceso selectivo de la Uni-Yôga es mediante una entrevista, pues nos impor-

---

[1] Si desea saber en qué consiste el SwáSthya Yôga, consulte la nota del capítulo I, al final del libro.

ta mucho más como requisito el comportamiento del candidato que sus estudios anteriores.

No suelo atender a los *out-siders* pues son miles de personas que quieren conversar conmigo y, aunque en general yo tenga mucho placer en dialogar con ellas, no tendría tiempo para escribir mis libros, responder las cartas ni atender las consultas de los instructores que formé y superviso. Pero mi secretario me dijo que este era diferente y que yo debería atenderlo.

II

EL SÍNDROME DEL VIL METAL

Fui hasta la sala de entrevistas e hice entrar al joven aspirante. Cuando entró, me pareció que lo conocía de algún lugar. Lo saludé en forma distendida. El joven me clavó la vista con el ceño fruncido y retribuyó el saludo con formalidad, sin una sonrisa siquiera en aquel rostro de barbita aún rala. Colocó las manos en prônam mudrá —la salutación tradicional hindú— con las palmas de las manos unidas una a la otra y ambas frente al pecho. En mi estilo informal, le brindé una generosa sonrisa para que se sintiera a gusto.

—¿Cómo es su nombre?

—Mi nombre es DeRose. Yo soy usted a los dieciocho años de edad.

Me quedé perplejo. "Uno más de aquellos", pensé. "No debe estar muy bien de la cabeza. Mi secretario me va a tener que dar una explicación. ¿Cómo es que me recomienda atender a una persona con perturbaciones mentales? No trabajo haciendo terapia..." Durante algunos instantes lo observé con ojo crítico. Pensé en llamar a un servicio de urgencias psiquiátricas. Sin embargo, el joven atlético, parado allí adelante, realmente se parecía a unas antiguas fotos mías, que aun guardo, de cuatro décadas atrás. ¿Será posible que la gente se distancie tanto de quien era, al punto de no recordar más la propia fisonomía de cuando era más joven?

Con un gesto amplio le indiqué que se sentase, y resolví sondear su psiquismo.

—¿Qué vino a hacer al futuro?

—Vine a aprender Yôga con usted, pues no puedo negar que cuarenta años después, usted conoce mucho más que yo, viajó veinticuatro años a la India, leyó y escribió muchos libros. Quiero entrar a su Universidad de Yôga.

—¿Usted sabe que nuestro proceso selectivo es por medio de una batería de entrevistas?

—Sí, lo sé.

—Muy bien. Nosotros somos una entidad de formación profesional, por lo tanto, aquí no va a encontrar la disciplina relajada de una academia sino la jerarquía y disciplina rígidas de una Universidad amalgamada con Escuela Iniciática. ¿Cree que tiene capacidad para adaptarse a eso?

—Siempre tuve una noción muy clara de jerarquía y de disciplina. Solamente no concuerdo con que el Yôga sea tratado como profesión. Para mí, el Yôga es una senda espiritual que no debe inmiscuirse con el vil metal.

—Mi querido, si usted fuese un candidato común, nuestra entrevista habría terminado aquí. Usted sería sumariamente dispensado por la declaración sintomática "no concuerdo". Quien hace esa afirmación suele ser un cuestionador compulsivo y nos va a crear problemas. No queremos gente así. No la necesitamos. Sólo queremos trabajar con gente proactiva. Y hay una legión de personas con ese perfil. Entonces, no precisamos gente que no comparta nuestros puntos de vista. No somos ningún culto ni doctrina, por lo tanto no nos interesa adoctrinarlo ni cambiar su opinión. Si ya está de acuerdo con nosotros, es aceptado para entrar en nuestra familia. Si no concuerda con algo, vaya a buscar otro grupo.

—No me interprete mal. No soy un cuestionador compulsivo. Sólo estaba queriendo mostrar que no soy mercantilista. No estoy en esto por dinero. Hace algunos años que doy clases de SwáSthya Yôga gratuitamente, en varias entidades filosóficas y filantrópicas.

—Pues lo más probable es que no tenga éxito en esta profesión, ya que ni siquiera la reconoce como oficio. Quien presenta el Síndrome del Vil Metal no gusta del dinero y se siente molesto por tener que ganar su sustento. La voz del pueblo diagnostica sabiamente que sólo es loco quien rompe dinero. Puedo decirle que usted está muy cerca de eso. Por otro lado, si usted es realmente DeRose a los dieciocho años de edad, a lo largo de algunas décadas acabará dejando aflorar su potencial de Maestro. En ese caso, quisiera poder ahorrarle los muchos sinsabores por los cuales pasé, y acelerar su proceso evolutivo con este diálogo.

—Sí, me gustaría inmensamente saber cómo evitar esos sinsabores, pues ya comenzaron. La gente no me comprende y me doy cuenta de que, por eso, me excluye. Tengo un comportamiento ejemplar a esta edad en que todos los jóvenes experimentan de todo y viven en fiestas, se emborrachan, se drogan, pelean en las calles y todo lo demás. Yo, por el contrario, no fumo, no bebo, no consumo drogas, no como carne, soy serio, trabajador ... y a pesar de eso, las personas parecen no valorizar ese comportamiento y me dan la impresión de que me temen.

—Pues uno de los motivos es exactamente ese. Usted hace todo demasiado bien. Eso humilla y asusta a los que hacen todo mal y se declaran practicantes o profesores de Yôga. Después, usted es muy joven y eso incomoda a los más viejos, que creen que ya alcanzaron la espiritualidad, pero conquistaron tan sólo la hipocresía. Para empeorar las cosas, enseña gratis. Es una amenaza a los que enseñan para mantenerse y sustentar a su familia. Finalmente, usted es muy serio, antipático realmente. No me gustaría tener un alumno con esa cara crispada. Mucho menos un profesor. Con ese conjunto de factores, mi amigo, su futuro será de incomprensiones y persecuciones. Pero la culpa es suya.

—Más despacio. Si echa todo eso al mismo tiempo en mi cabeza, no puedo asimilarlo. Vamos a tratar un tema por vez. El dinero. No veo el Yôga como una mercadería que se venda. Mire lo que está escrito en la Biblia: "Da de gracia lo que de gracia recibiste".

—¿Y usted aprendió Yôga gratis?

—No...

—Me parece bonita su visión del Yôga. Pero irreal. Usted vive con sus padres, por eso cree que no precisa dinero. Ocurre que ellos trabajan duro para brindarle casa, comida y ropa. Cuando quiere comprar un libro de Yôga o participar de un curso, ¿cómo hace, si no cobra por su trabajo? ¿Pide dinero —el vil metal— a quien trabaja, en este caso a sus padres?

—Dejo de comprar el libro o de hacer el curso.

—Entonces, está dejando de perfeccionarse como instructor de Yôga porque no tiene dinero. Y no tiene dinero por abrigar una visión meramente idealista del Yôga, sin mantener los pies en el suelo.

—¡Es que me parece tan vergonzoso cuando uno de esos profesores más viejos —el coronel, por ejemplo— manifiesta actitudes interesadas! No me gustaría asemejarme a ellos.

—No le estoy aconsejando que se torne interesado. Estoy tratando de hacerle comprender que el dinero no es malo ni bueno. Es una energía, con la cual se puede hacer el bien y el mal: depende de quien la posea. Es como el fuego, que puede ser muy útil a la Humanidad, salvar vidas y construir la civilización, o quemar, destruir y matar, como en las guerras. ¿Por ese motivo uno va a estar contra el fuego y no usarlo para fines constructivos? Imagine lo que puede hacer el dinero en buenas manos.

—El dinero corrompe.

—Sin duda, pero la pobreza corrompe más aun. Jung citó un proverbio suizo que dice: "Detrás de cada rico hay un diablo y detrás de cada pobre, ¡existen dos!" Nacimos, usted y yo, en una familia de la aristocracia y pasamos una infancia en que nada nos faltaba. Guardamos una imagen de dignidad y nobleza de comportamiento de nuestros padres. Después, perdimos todo. Los recuerdos que tenemos de esa época son de indigencia. Era como si el mundo hubiera pasado a estar cerrado para nosotros, causando como consecuencia una enorme pérdida de autoestima. Con el tiempo y mucho trabajo honesto conseguí alcanzar un nivel de estabilidad financiera. Hoy puedo hacer mucho más por el Yôga y por la Humanidad.

En ese momento mi secretario pide permiso y me informa que el diputado Fulano me está esperando para que deliberemos sobre el proyecto de Ley de reglamentación de los profesionales de Yôga[2]. Pido a mi joven visitante que vuelva oportunamente para que continuemos la conversación. Cuando sale, mi secretario, siempre atento, me pregunta:

—Maestro, ¿ese joven estaba molestándolo? Le recomendé que lo atendiese porque él dijo que su apellido era DeRose, podía ser un pariente suyo... ¿Quiere que nosotros prosigamos la entrevista de selección con él?

—No, gracias. En general los jóvenes no me cansan. Son los más viejos los que más me desgastan. Señale otro día para que continúe entrevistando a esa figura exótica.

—Vamos ahora a ver lo que el diputado tiene para nosotros.

Recibo al diputado en la sala del quinto piso, más aireada, que mira de un lado a la Av. Rebouças y del otro a la Av. Dr. Arnaldo, Consolación y Paulista.

—Diputado, ¿cómo está?

—Muy bien, Maestro. Usted, ya sé que siempre está bien.

—¿En qué puedo ayudarlo?

—Desde 1978, usted viene liderando la lucha por la autonomía e independencia de la profesión de ins-

---

[2] N. de T.: A fin de que nadie restara su apoyo a nuestra autonomía e independencia, escudado en alguna situación personal, el Maestro DeRose publicó en 2002 una declaración de que **se retiraba del proceso de reglamentación y no pretendía ningún cargo en los Consejos de Yôga**.

tructor de Yôga a través de la reglamentación profesional. Ahora estamos en la recta final. Yo quiero que su profesión sea reglamentada, pero sus enemigos son antiéticos y están apelando a recursos que no vi ni en los subsuelos de la política más rastrera. Necesito que intervenga, como Presidente de la Confederación, para convencer a los profesionales de Yôga de que se involucren en esta lucha. Si ellos se quedan tranquilos, sólo esperando que los líderes hagan todo por ellos, su reglamentación corre el riesgo de no ser aprobada. Mis colegas, los demás diputados, tienen que advertir que ustedes son muchos, que son unidos y que hay un consenso para la reglamentación.

—Quédese tranquilo. Voy a realizar una convocatoria general y llamar por teléfono a los instructores que manifiestan más liderazgo. Convocar a nuestro personal para defender sus propios intereses es lo más difícil del mundo, pero yo sé cómo hacerlos levantarse y actuar. Es sólo darles un alfilerazo por atrás, y saltan para adelante.

—Otra cosa. Necesito una Exposición de Motivos para presentar al presidente de la República, pues, como usted sabe, él no quiere aprobar su reglamentación. Pero no puede ser en lenguaje técnico de Yôga, tiene que ser en términos políticos.

—Ya tengo listo ese texto. Fue elaborado por varios presidentes de Federaciones de Yôga de los Estados. Déjeme leerlo para ver si está bien así: "El Yôga es una filosofía multimilenaria de la India, introducida en el Brasil hace más de cincuenta años, que no ha sido, hasta hoy, reglamentada. Su definición formal es: 'Yôga es cualquier metodología estrictamente práctica que conduzca al autoconocimiento'. La práctica del Yôga ha despertado el interés de un número significativo y siempre creciente de personas en el mundo entero y también en el Brasil. La evidencia de esto es que contamos hoy con más de cincuenta mil alumnos matriculados en la Uni-Yôga – Universidad de Yôga. Considerando que ya se ha vendido más de un millón de libros del Maestro DeRose y más de un millón de copias de la grabación de la *Práctica Básica* (primeramente en cassette y después en CD), estimamos en más de un millón el número de adeptos del SwáSthya Yôga. Ahora, contabilizados los practicantes de las demás modalidades, la estimación puede llegar fácilmente a superar la cifra de cinco millones en todo el Brasil[3]. Sin embargo, esta metodología tan saludable como es el Yôga, cuando está mal conducida por legos o profesionales sin preparación, puede poner en riesgo la seguridad y la salud de la población. De ahí la necesidad urgente de que se creen órganos de control de esta profesión ya plenamente consagrada en Brasil. Por eso, es una cuestión de respeto a la vida y a la salud pública, así como de protección del consumidor contra el charlatanismo, re-

---

[3] La cuenta fue realizada así: Brasil tiene más de cinco mil municipios con diez instructores –por lo menos– en cada uno (cerca de cincuenta mil instructores), con un promedio de cien alumnos por cada instructor, igual a cinco millones. Además están los que practican en academias, gimnasios, clubes y empresas, así como los que practican en su casa con *personal trainers* y/o por libros, videos y CDs. Esta estimación es en realidad modesta si consideramos que nuestros libros de SwáSthya Yôga ya vendieron más de un millón de ejemplares. La grabación con la *Práctica Básica* también ya superó el millón de copias. Sólo en una academia, la Runner de São Paulo, tuvimos más de 3.500 alumnos de SwáSthya Yôga en 2002. Por otro lado, la revista *Times* de abril de 2001 declaró que, en aquella época, en los Estados Unidos ya había quince millones de practicantes de Yôga. Por lo tanto, nuestra estimación es incluso modesta.

glamentar el ejercicio de esa profesión. Para eso se destina la presente Ley que, constituyendo los Consejos Federal y Regionales de Yôga, permite que esos órganos ejerzan la efectiva fiscalización y control de los mencionados profesionales, velando por el nivel de excelencia técnica y ética necesario para el seguro desempeño de ese oficio".

—Gracias, Maestro. Era exactamente eso lo que yo precisaba. Por favor, divulgue entre los interesados el teléfono de la Cámara de Diputados en Brasilia: disque Cámara 0800 619 619. La llamada es gratuita y los adeptos del Yôga pueden enviar mensajes que serán transmitidos a los diputados que ustedes escojan. Es sólo decir: quiero enviar un mensaje al diputado Fulano de Tal.

—Eso va ser una gran ayuda. Telefonear es simple, todo el mundo tiene un teléfono a mano en cualquier lugar. Y siendo la llamada gratuita, no hay motivo para que no llamen.

—Volveremos a hablarnos la semana que viene. ¿Podrá ir a Brasilia el martes?

—No, el martes a la noche es el día que doy mi clase en São Paulo. Pero puedo ir el miércoles.

—Quedamos así, entonces.

III

YÔGA Y ESPIRITUALISMO

Después de una semana, nuevamente, el candidato a discípulo vino para proseguir el diálogo. Esta vez estaba menos duro y moderadamente menos antipático. Todavía hizo un saludo formal, pero ya movió imperceptiblemente las comisuras de los labios a guisa de sonrisa. La mirada, sin embargo, permanecía rígida y penetrante como la lámina de una cimitarra.

—Entonces, joven, ¿pensó en lo que conversamos la última vez? ¿Meditó sobre la naturaleza del Yôga?

—Aunque yo tenga sólo dieciocho años de edad, sé que el Yôga es una senda espiritual, la unión del hombre con Dios, el único camino completo y perfecto para la autorrealización del Ser, que está muy por encima de las religiones, ciencias y tradiciones iniciáticas. Todo lo que quiero en la vida es espiritualizarme y liberarme de la rueda del *samsára*. Quiero alcanzar la liberación, *môksha*.

Estoy dispuesto a todo y acepto cualquier disciplina que me sea impuesta.

—Si para usted el Yôga es una senda espiritual, su compromiso es con la corriente Vêdánta[4], fundamentación del Yôga Moderno, la cual constituye nada menos que la línea filosóficamente opuesta a la nuestra, que es el Yôga Antiguo. El Yôga más antiguo se fundamenta en el Sámkhya[5]. El Sámkhya es una corriente naturalista, no espiritualista. Eso demuestra que el Yôga más antiguo —por lo tanto, más auténtico— **no era** de fundamentación Vêdánta, **no era** místico. Consulte, al respecto, los comentarios del *Yôga Sútra* de Pátañjali[6], obra del siglo III antes de Cristo.

[4] **Vêdánta** significa, literalmente, *el final de los Vêdas*, pues se basa en las Upanishads, que son Comentarios de los Vêdas, y por lo tanto, aparecen al final de esas escrituras. Vêdánta es una filosofía espiritualista. Por ser teórica, no confronta con el Yôga, que es una filosofía práctica (en el Hinduismo, esa posibilidad existe, aunque para los académicos occidentales, de herencia cultural helénica, la idea de una filosofía práctica sea difícil de comprender). No se enfrenta, pero no posee afinidad de origen con el Yôga, ya que la fundamentación teórica más antigua del Yôga no era el Vêdánta sino el Sámkhya.

[5] **Sámkhya** significa, literalmente, *número o enumeración*. Esa denominación alude al propósito de sugerir que se trata de una filosofía de gran lógica, tal como la matemática. Al igual que el Vêdánta, el Sámkhya también es una filosofía teórica y, de la misma forma, no entra en choque con el Yôga. Por eso existe un Yôga de fundamentación Sámkhya y un Yôga de fundamentación Vêdánta. Existen dos tipos de Sámkhya. El Sêshwarasámkhya (sa = con + Íshwara = Señor) y el Niríshwarasámkhya (nir = sin + Íshwara = Señor), que es el más antiguo.

[6] **Yôga Sútra** significa *Aforismos del Yôga*. Aforismo es una enseñanza compactada, que trasmite grandes verdades en pocas palabras. Tan resumido es un sútra que sólo logra comprenderlo quien tiene iniciación en aquella corriente específica. El *Yôga Sútra* fue una especie de tesis, escrita por el gran sabio ario Pátañjali. Define los parámetros del Yôga Clásico (Sámkhya-Brahmáchárya).

—De hecho, sé que el *Yôga Sútra* es de línea Sámkhya. Sin embargo, su autor, Pátañjali, menciona a Dios.

—Sí, unas pocas veces, lo que torna discretamente teísta su vertiente del Sámkhya, pero no la hace espiritualista. Además, no enseñamos el Yôga de Pátañjali. Profesamos un Yôga miles de años más antiguo que el de él. Me estoy refiriendo al Yôga original, el Yôga de Shiva, creado hace más de cinco mil años. Ese era Niríshwarasámkhya, un tipo de Sámkhya que ni siquiera menciona la divinidad. Por eso fue considerado ateísta, aunque no lo sea, ya que no niega la existencia de Dios. Sólo no la menciona.

—Hay algo que no comprendo...

Suena el teléfono rojo, mi línea directa con los presidentes de Federaciones de Yôga del Brasil y de otros países. Cuando alguien llama a ese número, es por un asunto importante.

Atiendo:

—Hola. ¡Sí, Edgardo! ¿Cómo te va? ¿Cómo está mi querida Buenos Aires? Lo siento. Podés contar conmigo. Haré todo lo posible para estar ahí la próxima semana. Cariños. Adiós.

—¿Asunto serio?

—Sí. Hay una facción de "la shoga", como pronuncian ellos, que equivale a "la yóga" de aquí del Brasil, y que está haciendo amenazas y disparando insultos por teléfono a nuestros instructores de SwáSthya Yôga de la Argentina. Es que allá, como en todas partes, el SwáSthya está creciendo mucho y los opositores están asustados. El presidente de la Federación quería saber si puedo dar una entrevista al diario *La Nación* para neutralizar las difamaciones que realizan aquellos "enseñantes" de la oposición. Pero eso es otro asunto. Usted me decía que hay una cosa que no comprende.

—Ya no recuerdo más lo que le iba a preguntar. Pero ahora hay otra cosa que no comprendo. Es esa disputa vergonzosa entre profesores de Yôga. ¡Qué decepción! Nunca imaginé que los Maestros pudiesen cometer agresiones o difamaciones contra otros Maestros.

—Pues ahí está el quid de la cuestión. Ellos no son Maestros[7] y nunca lo serán. Son apenas *enseñantes* legos, sin iniciación, sin cultura, sin educación. Están en el *métier* por el dinero y por el ego. Tampoco son de Yôga, en masculino, con *ô* cerrada. Son de yoga, en femenino, con *o* abierta. En la Argentina, ellos pronuncian "shoga". Nuestros alumnos e instructores pronuncian correctamente, Yôga, en cualquier país del mundo. Ya es tiempo de que usted sepa las diferencias entre esas dos modalidades distintas.

—Para mí, siendo Yôga o yoga, es todo la misma cosa. Tampoco reconozco un Yôga esto, Yôga aquello. Yôga es Yôga.

—Usted está mal informado. El Yôga y la yoga son cosas diferentes. Tuvieron origen en países diferentes, en épocas diferentes, tienen objetivos diferentes y se dirigen a públicos diferentes.

—Un momento. Todos saben que fue DeRose quien inventó esa supuesta diferencia entre el Yôga y la yoga.

—Entonces, hijo, todos están engañados o están engañando a terceros que creen en ellos, como fue su caso. No fui yo sino el general Caio Miranda quien estableció la diferencia entre el Yôga y la yoga.

—¿Puede probarme eso? Comprenda, no es que yo dude, pero voy a precisar elementos cuando tenga que discutir con algún detractor.

---

[7] Más esclarecimientos sobre el concepto de discípulo, en la nota del capítulo III, al final del libro.

—Sí, puedo probarle lo que digo. Le voy a mostrar la documentación. Mire. Este es el libro *Hatha Yóga, la ciencia de la salud perfecta*. Fue escrito por el general Caio Miranda y publicado por la Editora Freitas Bastos, de Río de Janeiro, en 1962. Lea aquí en la página 26: según el autor, el Yôga es la filosofía en sí, y la yoga es la práctica utilitaria de esa filosofía.

—Tiene razón. Fui un tonto creyendo en las mentiras de sus enemigos. Ahora, con el texto del Maestro Caio Miranda, me doy cuenta de que el Yôga es más espiritual y la yoga es más comercial.

—No, tampoco es eso. El Yôga no tiene nada que ver con la imagen estereotipada que la ingenuidad occidental le atribuye. El misticismo, por ejemplo, encaja mucho más en los adeptos de la yoga. La yoga está muy comprometida con el Vêdánta. El hecho es que ellos se dicen espiritualizados, pero no lo son, pues adoptan actitudes mezquinas como aquella que lo decepcionó a usted y decepciona a todo el mundo. Sin embargo, el Yôga antiguo, en consecuencia más auténtico, no tuvo ninguna identidad de origen con el Vêdánta sino con el Sámkhya, que no es espiritualista.

—Sólo falta que me diga que el Yôga no es espiritual o que no espiritualiza.

—No confunda espiritualismo con espiritualidad. La espiritualidad es un patrimonio del ser humano. El Yôga de cualquier modalidad, siempre que sea auténtico, desenvuelve la espiritualidad. Pero el espiritualismo es la institucionalización de la espiritualidad, o el sistema que toma por centro el espíritu en contraposición con la materia, basándose en el concepto de la dicotomía entre cuerpo y alma como cosas separadas y antagónicas. Por otro lado, la espiritualidad es una función biológica. Es como la di-

37

gestión. Todos la tenemos: unos, mejor; otros, no tanto. El Yôga la perfecciona. Pero estar obsesionado con eso es señal de perturbación. Uno sólo piensa en su digestión cuando no está funcionando bien. Lo mismo pasa con la espiritualidad. Imagine a alguien que lee libros sobre digestión, va a conferencias sobre digestión, debate sobre digestión ¡y sigue a Maestros de digestión! Esa persona debe estar mal de la función digestiva... Quien asiste a conferencias sobre espiritualidad, lee libros acerca de ese tema, lo debate, o sigue a Maestros espirituales, por analogía, también debe ser una persona que sufre de la espiritualidad. En caso contrario, disfrutaría de ella con naturalidad y la perfeccionaría con discreción.

—Lo que usted dice es coherente, pero me resisto a aceptarlo. Al fin de cuentas, en el ambiente del Yôga, de la yoga y de todas las entidades espiritualistas que yo frecuento, es voz corriente que el origen de la palabra Yôga tiene mucho en común con el de la palabra religión. Todo el mundo sabe que Yôga significa unión y que la palabra religión proviene del latín *religare*, que significa religar, reunir. De ahí que son prácticamente lo mismo.

—Una vez más, joven, usted fue engañado. Se lo dijeron, y usted, simplemente, lo aceptó como un cordero castrado. Traiga el *Diccionario Houaiss*, aquel grande que está allí en el rincón, que contiene el origen etimológico de las palabras. Busque el vocablo religión.

—Está bien. Déjeme ver... Relieve, religar... Lo encontré. Religión.

—¿Cuál es la etimología? ¿Es *religare*?

—¡No! No. ¡Qué increíble! Aquellos "Maestros" espirituales me mintieron. Y todo el mundo repite esa mentira...

—Para confirmar, consulte ahora el *Diccionario Michaelis*, al lado del otro, sobre la mesa.

—Aquí está. ¡Oh! Mi Dios. No sé qué decir...

—Y..., sí. Durante la dictadura militar un coronel afirmó aquello y otras cosas. Todo el rebaño salió repitiendo sus mentiras y multiplicándolas en conferencias, clases, apostillas, libros, artículos en la prensa y entrevistas por televisión. En poco tiempo había toda una horda de subalternos vandalizando la verdad para contar, cobardemente, con la complacencia de los militares. De esa manera, diseminaron ese y otros fraudes.

—¡Usted es realmente polémico!

—No, no lo soy. Polémicos son los que polemizan conmigo. Simplemente digo las cosas como son y las pruebo con documentación, como acabo de hacer. Ahora vamos a interrumpir nuestra conversación. Tengo que tomar un avión de aquí a un rato, para dar un curso en la PUC de Curitiba. La semana que viene, llame por teléfono para marcar una hora y seguiremos dialogando.

IV

LA MEZCLA DE LÍNEAS, ESCUELAS Y MAESTROS

La semana siguiente, allá estaba el joven aspirante. ¡No desistía! En cuanto comenzamos a conversar, parecía que estaba con algo guardado y enseguida empezó a disparar:

—Yo no soy de línea Vêdánta, como usted afirmó. Soy ecléctico, universalista. Acepto todas las líneas, pues adoptar una única es una limitación. Algo parecido a las personas que adoptan una sola religión. Eso sólo sirve para estimular el separatismo y las disputas entre los que pertenecen a esta o aquella religión. Yo entro en todos los templos y sigo todas las religiones del mundo. Lo mismo ocurre con las líneas de Yôga. ¿Por qué debo restringirme a una determinada línea y dogmatizar que las otras no son tan buenas, si tengo la cabeza abierta y poseo la capacidad de estudiar todas las corrientes y conciliarlas en mi mente?

—Joven, aprendí en más de medio siglo de vida, más de dos décadas de viajes a la India, más de cuarenta años estudiando y practicando Yôga, que las líneas de Yôga son antagónicas entre sí. Sólo un lego o un estudiante muy al comienzo de sus estudios podrían imaginar la compatibilidad entre las diversas corrientes. Como ya le expliqué, el Yôga Antiguo (de más de cinco mil años) se fundamenta en el Sámkhya, una filosofía teórico-especulativa de cuño **no espiritualista**. El Yôga Moderno (surgido cerca de cuatro mil años después) se fundamenta en el Vêdánta[8], una filosofía teórico-especulativa de cuño **espiritualista**. ¿Cómo se puede ser al mismo tiempo espiritualista y no espiritualista? Después tenemos las tendencias comportamentales Tantra[9] y Brahmáchárya[10]. El Tantra

---

[8] No confunda la información que le está proporcionando el texto. El Vêdánta ya existía desde la antigüedad, cuando fue codificado por Badarayana. Su influencia en el Yôga se tornó significativa a partir de Shankaráchárya, que vivió en el siglo VIII d.C., y divulgó tanto el Vêdánta en la India que convirtió a una parte sumamente grande de la población. Ahora bien: esa población vedantizada, cuando practicase Yôga, profesaría obviamente un Yôga Vêdánta. Tan relevante fue la obra de Shankara que, al pensar en Vêdánta, todos recuerdan su nombre y no el nombre del codificador, Badarayana.

[9] **Tantra** es una filosofía comportamental hindú, de características matriarcales, sensoriales y desrepresoras. El término *tantra* significa "regulado por una regla general; el acto de encordar un instrumento musical; tejido o tela, o la trama del tejido". Otra traducción es «aquello que esparce el conocimiento». Tantra es el nombre de los antiguos textos de transmisión oral (param-pará) del período preclásico de la India, por lo tanto, de más de cinco mil años. Más tarde, algunos de esos textos fueron escritos y se tornaron libros o escrituras secretas del hinduismo.

[10] **Brahmáchárya** es una propuesta comportamental hindú, de características patriarcales, antisensoriales y represoras. Fue introducida a partir de la ocupación aria, más o menos en el 1500 a.C.

es sensorial y el Brahmáchárya es antisensorial. ¿Cómo puede usted declararse sensorial y antisensorial al mismo tiempo? Es esa confusión occidental la que acaba desequilibrando a los adeptos y llevando a mucha gente a la camisa de fuerza.

—Yo soy espiritualista. Soy espiritualista con toda mi alma. Además de practicar algunas decenas de modalidades de Yôga, soy iniciado en diversas escuelas de misterios. Soy rosacruz, teósofo, eubiótico, antroposofista, logosofista, gnóstico, esenio, cabalista, mago, ocultista, hermetista, teurgista...

—¡Basta, basta! Jovencito, usted es una bomba de tiempo. ¿No hace nada más en la vida? ¿No estudia, no está de novio, no practica deportes?

—De hecho, yo sólo me dedico a la lectura de los libros de sabiduría; paso los días haciendo las prácticas esotéricas y las noches en los rituales secretos de las órdenes iniciáticas. El estudio escolar es muy elemental cuando hay cosas tanto más importantes para conocer. Voy al colegio, pero me quedo leyendo mis libros durante las clases. Deportes, practiqué muchos en el pasado. Ahora no tengo tiempo. Y en cuanto al amor, francamente, me sorprende que un Maestro de Yôga sugiera tal cosa.

—Después volveremos a ese tema. Ahora creo que tengo que entrar en la maraña de ciencias ocultas para intentar rescatarlo con lo que resta de sentido común en su cabeza. Para comenzar, usted no es rosacruz ni teósofo. Usted puede ser, como máximo, un estudiante de esas disciplinas, pero no es un realizado en ellas.

—¿Cómo puede saberlo? ¿Porque soy joven? Sepa que frecuento siete Centros Teosóficos y desde hace años estoy afiliado a innumerables Fraternidades Rosacruces. Soy Iniciado en la Fraternitas Rosicruciana Antiqua, en el

Lectorium Rosicrucianum, en la Antigua y Mística Orden Rosa Cruz, en la Fraternidad Rosacruz Max Heindel y otras. De hecho se contradicen unas a las otras, y cada cual declara que es la única verdadera. Pero en mi sed de conocimiento, estoy profundizando en todas ellas. También estudio Ásana Yôga, Hatha Yôga, Rája Yôga, Bhakti Yôga, Karma Yôga, Jñána Yôga, Laya Yôga, Mantra Yôga, Tantra Yôga, Kundaliní Yôga, Kriyá Yôga y otros[11]. Fui iniciado en el Suddha Rája Yôga por Srí Janárdana; en el Kriyá Yôga por el Maestro Cuarón; en Vêdánta por Srí Swámi Bhaskaránanda.

—Sea sincero. ¿Alguno de esos iniciadores le enseñó algo que no supiese ya?

—Bueno..., no. Pero confirmaron los conocimientos que recibí por vía directa.

—Tiene que dejar de mezclar egrégoras. Dos o más corrientes de perfeccionamiento personal, si actúan simultáneamente sobre el mismo individuo, pueden romper sus chakras, ya que cada cual induce un movimiento en velocidades, ritmos y hasta sentidos diferentes de sus centros de fuerza.

—Sí, pero las ciencias que yo estudio son análogas y complementarias. Ninguna de ellas es completa y perfecta. Una trabaja más la mente y olvida el cuerpo; otra, desarrolla el cuerpo, pero no atiende la alimentación; otra actúa sobre las emociones, pero no llega al *Self*. Una desenvuelve la meditación, otra, los poderes paranormales. Así, tengo que complementar unas con las otras. Son todas similares y compatibles.

—Eso es un pretexto para hacer mezclas.

---

[11] Al final del libro, en la nota del capítulo IV, encontrará más explicaciones sobre varios tipos de Yôga.

—Yo no hago mezclas. Es que las personas limitadas se restringen a su verdad. Entonces, ¿las verdades de los otros no son válidas? Simplemente tengo la cabeza abierta y acepto todo. Soy un buscador sincero. Estudio todas las filosofías y tomo lo mejor de cada una.

—Un buscador no es un "hallador". Se divierte y satisface con la fruición de la búsqueda en sí. Encontrar, sería arruinar el placer, pues interrumpiría el entretenimiento. Busca hoy aquí, mañana allí, después más allá. No se puede confiar en ese tipo de gente. Quiero personas que no sientan la compulsión neurótica de buscar, buscar, buscar. Quiero gente **que se haya encontrado** en el SwáSthya, y que eso sea definitivo. Usted no es sincero si toma "lo mejor de cada una". Usted es un explotador, un parásito, un vampiro. No está siendo leal con ninguna de las escuelas que lo acogieron. Cuando escucha en una Orden Rosacruz que alguien declara que esa es la única verdadera, y se calla, y continúa frecuentando ese lugar, está traicionando la confianza de la otra Orden que fue atacada. Eso no es digno. Algo más: si elige caminar conmigo, exijo que no se deje seducir por el misticismo, por sectas ni por la mezcla con otras ciencias, artes, filosofías, estudios, ideologías, tampoco por los demás tipos de Yôga. Que respete y perpetúe la pureza de nuestra estirpe. Vaya a fondo, sumérjase de cabeza, sea leal, dedíquese a una sola cosa. No mezcle con nada más. No estoy interesado en quien aún está en la fase de la búsqueda.

—No comprendo. Pensaba que todas esas escuelas filosóficas se complementaban y apoyaban unas a otras. Creía que se reforzaban mutuamente...

—De ninguna manera. Todas esas corrientes se originaron en principios diferentes, en países diferentes, épocas diferentes, culturas diferentes y tienen objetivos diferentes. Con el tiempo, se fueron distanciando aún más, de tal forma que hoy casi todas son prácticamente antagónicas entre sí. Y el Yôga no tiene nada que ver con tales filosofías, artes y ciencias. La confusión fue creada por buscadores crónicos que tenían poco conocimiento y mucha curiosidad. Los verdaderos Maestros suelen seguir una sola cosa y exigir eso de sus discípulos. Preste mucha atención a esto: cada filosofía puede conducir al ser humano a una meta diferente. Como todas esas metas están muy por encima del entendimiento del lego, él imagina que a lo lejos, por encima de las nubes, esas paralelas se encuentran. Pero es apenas una ilusión de la perspectiva. Incluso si no fuese así, si todas llevasen al mismo lugar, considere que muchas son las rutas que llevan a Roma, pero uno tiene que recorrer sólo una.

—Es que siento un impulso casi irresistible de estudiar todas las ciencias, artes y filosofías, del Oriente y de la antigüedad. Eso debe ser una señal de que mi vocación es esa, pues al estudiarlas no hago confusión alguna y hasta encuentro puntos de conciliación. ¿No será que mi naturaleza real es esta? Quiero decir, ¿estudiar todas las cosas para encontrar un lenguaje común que las concilie? Cuando era más joven, incluso, fundé la Uni-Cren, unión de todas las creencias. Siento que nací para conciliar.

—No, mi querido. Usted debe aprovechar esa capacidad de conciliación para otra misión que le está destinada. No para hacer ensalada mixta. Sin embargo, creo que debe continuar con esa búsqueda ecléctica hasta concluir por su propia experiencia que eso es tiempo perdido y que es extremadamente arriesgado.

—¿Arriesgado?

—Sí. Seguir a dos escuelas o dos Maestros es como encender una vela por los dos lados. Y se está excediendo mucho más allá de eso.

—Parecen celos.

—Sólo se trata de protegerlo. Imagine que el discípulo es como un equipamiento electrónico y el Maestro es el técnico que deberá reprogramarlo para aumentar su potencia y desempeño. Si usted tiene dos o más Maestros, cada uno estará manejando su panel de control y estableciendo conexiones entre sus cables sin saber lo que están haciendo del otro lado los demás. Eso ocasionará seguramente un cortocircuito e incendiará el equipo, que es usted. Por eso, no lo aceptaré a menos que pare con todo, para seguir solamente lo que yo le enseñe. Un ejemplo típico del choque de egrégoras son los sikhs de la India. Viendo que los musulmanes y los hindúes se perseguían, torturaban y mataban mutuamente en una interminable guerra «santa», que se odiaban, en nombre de Dios, un grupo formado por indios de ambas religiones fundó una secta pacifista, el sikhismo, que tenía la propuesta de ser un polo conciliatorio entre las dos y reconocía preceptos del hinduismo y del islamismo. Resultado: tanto una como la otra declaró a los sikhs como herejes e infieles... ¡y las dos empezaron a perseguirlos más furiosamente que al antiguo enemigo! Yo mismo pude ser testigo de que todos los que intentaron una conciliación entre Maestros o escuelas supuestamente compatibles, acabaron teniendo serios problemas de psiquismo y de salud física, producidos por desarmonización energética. Presencié escenas y hechos tan graves, que su recuerdo justifica plenamente algo de insistencia sobre este asunto. Por todo eso, a partir de una determinada época me definí y empecé a dedicarme estrictamente al Yôga, comenzando a desligarme en forma progresiva de todas las otras corrientes, lo que fue sumamente saludable. Hoy sólo acepto como discípulo o como profesor de nuestro linaje a quien me convence de que ya sabe lo que quiere, que será leal y que no va ponerse a buscar aquí y allá, en este y aquel libro, ni a mezclar las enseñanzas de este y aquel Maestro.

—Yo todavía no tengo una noción muy precisa del concepto de egrégora.

—Egrégora designa la fuerza generada por la sumatoria de energías físicas, emocionales y mentales de dos o más personas, cuando se reúnen con alguna finalidad. Todos los agrupamientos humanos poseen sus egrégoras características: todas las empresas, clubes, religiones, familias, partidos, etc. La egrégora es como un hijo colectivo, producido por la interacción «genética» de las diferentes personas involucradas. Si no conocemos el fenómeno, las egrégoras se van creando al azar y sus creadores se tornan de inmediato sus siervos, ya que son inducidos a pensar y actuar siempre en la dirección de los vectores que caracterizaron la creación de esas entidades gregarias. Serán tanto más esclavos cuanto menos conscientes estén del proceso. Si conocemos su existencia y las leyes naturales que las rigen, nos tornamos señores de esas fuerzas colosales.

—No veo cuál es el problema en sumar las fuerzas de dos o más egrégoras.

—Un factor fundamental en este estudio es el de la incompatibilidad entre egrégoras. Como todo ser humano está sujeto a convivir con la influencia de algunos cientos de egrégoras, el arte de vivir consiste en mantener en su espacio vital sólo egrégoras compatibles. Puesto que estas fuerzas son grupales, un individuo será siempre el eslabón más débil. Si están fuera de sintonía unas con las otras, generan un campo de fuerza de repulsión y si uno está en su longitud de onda, al repelerse mutuamente, lo cortan al medio, energéticamente. Dilaceran sus energías, como si estuviese sufriendo el suplicio del descuartizamiento, con un caballo amarrado a cada brazo y a cada pierna, corriendo en direcciones opuestas.

—¿Qué puede ocurrir si mezclo egrégoras?

—Ese descuartizamiento que mencioné se traduce por síntomas tales como ansiedad, depresión, nerviosismo, agitación, insatisfacción o soledad. En un nivel más grave, surgen problemas en la vida particular, familiar, afectiva, profesional y financiera, pues el individuo está disperso y no centrado. En el grado siguiente, surgen neurosis, fobias, paranoias, psicopatologías diversas que todos advierten menos el que hace la mezcla. Finalmente, sus energías entran en colapso y surgen somatizaciones concretas de enfermedades físicas, de las cuales una de las más comunes es el cáncer. Todo eso, sin mencionar el hecho de que dos o más corrientes de perfeccionamiento personal, si actúan simultáneamente sobre el mismo individuo, pueden romper sus chakras, ya que cada cual induce un movimiento en velocidades, ritmos y hasta sentidos diferentes en sus centros de fuerza.

—Pero yo insisto en que las cosas que yo estudio son todas semejantes. Todas son filosofías o ciencias que tuvieron origen en el Oriente y en la antigüedad. Son todas de naturaleza iniciática. Todas buscan la evolución del ser humano. Muchas de ellas hablan de chakras, de karma, de meditación, incluso adoptan terminología semejante en sánscrito, tomada del Yôga, que es más antiguo.

—Con respecto a la compatibilidad, hay algunas reglas precisas. Una de ellas es que las egrégoras semejantes son incompatibles en razón directa de su semejanza; las diferentes son compatibles en razón directa de su desigualdad. ¿Pensaba que era al revés, no? Todo el mundo se engaña al pensar que las semejantes son compatibles y al intentar la coexistencia de fuerzas antagónicas, que terminan por destruir al ingenuo practicante. ¿Quiere un ejemplo de esa regla? Imagine que un hombre normal tenga una egrégora de familia, una de profesión, una de religión, una de partido político, una de club de fútbol, una de raza, una de país, y así sucesivamente. Como son diferentes entre sí, pueden coexistir sin problemas. Ese hombre podría tener cualquier profesión y cualquier partido político, ser simpatizante de cualquier club y frecuentar cualquier iglesia. Ahora imagine el otro caso. Ese mismo hombre resuelve tener dos familias, ser "hincha" de varios clubes de fútbol, pertenecer a partidos políticos de derecha y de izquierda al mismo tiempo, ejercer la medicina y la abogacía simultáneamente, ¡y ser católico los domingos, protestante los lunes y judío los sábados! Convengamos en que la persona en cuestión está psiquiátricamente desequilibrada. No obstante, es lo que mucha gente hace cuando se trata de seguir corrientes de perfeccionamiento interior: la mayoría cree que no tiene importancia mezclar aleatoriamente Yôga, tai-chi, reiki, macrobiótica, fengshui, chi-kun y cuantas cosas más se le crucen por delante. Entonces, ¡buen provecho con su ensalada mixta!

—Me está pareciendo que la egrégora es una fuerza peligrosa.

—Sé que usted escuchó muchas veces en el ambiente espiritualista que esto o aquello es peligroso. El uso frecuente de la intimidación «esto es muy peligroso, aquello es muy peligroso», denota una personalidad psicótica. Tenga cuidado con ese tipo de gente, pues suele utilizar ese recurso para manipular a los demás a través del miedo. La egrégora no tiene nada de peligroso ni de maléfico. Al contrario. La egrégora es también un ente que, en cierto aspecto, puede ser asociado con el concepto de ángel protector. Es innegable que la consolidación de lazos entre el individuo y el grupo, integra al primero con un registro del inconsciente colectivo. Si usted está identificado con nuestra egrégora, dondequiera que se encuentre, el Ángel Gregario lo envuelve con sus alas protectoras. Sea de día o de noche, en América, Europa o Asia, en las buenas y en las malas, estará siempre amparado y jamás estará solo. Los reveses serán bastante amortiguados, pues su impacto crudo es absorbido por el poder gregario de millones de hermanos de esta cofradía mundial sin muros. Estando integrado, cada uno de nosotros tiene la fuerza de millones. Es eso lo que nos hace vencedores donde los demás son perdedores. Si usted está identificado y bien integrado en nuestra egrégora, en los momentos de necesidad podrá recurrir al auxilio del Ángel Gregario, haciendo una meditación o mantra[12] del SwáSthya Yôga, o incluso releyendo al-

---

[12] **Mantra** puede traducirse como vocalización. Se compone del radical *man* (pensar) más la partícula *tra* (instrumento). Es significativa esa construcción etimológica, ya que el mantra es muy utilizado para alcanzar la "supresión de la inestabilidad de la conciencia", denominada intuición lineal o... ¡meditación! Mantra puede ser cualquier sonido, sílaba, palabra, frase o texto, que tenga un poder específico. Pero es fundamental que pertenezca a una lengua muerta, en la cual los significados y las pronunciaciones no sufran la erosión de los regionalismos, modismos y otras alteraciones constantes por causa de la evolución de la lengua viva. Tratándose de Yôga, solamente se acepta el idioma sánscrito. De él fueron extraídos los mantras de nuestro acervo. Y no se deben mezclar con mantras de otras lenguas o de otras tradiciones, para evitar el tristemente célebre choque de

gún libro nuestro para fortalecer los lazos y luego mentalizando (pero no pida, sólo mentalice) lo que necesita. Otra forma eficiente de permanecer dentro del círculo de protección de nuestra egrégora es mantener un contacto constante con el mayor número posible de compañeros de la misma sintonía.

—Este estudio es fascinante. Nunca encontré información sobre egrégoras en ningún libro.

—El *Diccionario de Ciencias Ocultas* ofrece una explicación resumida. Blavatsky menciona la egrégora muy de pasada. Realmente, creo que los únicos libros que profundizan en el tema son los míos. Ahora, si me lo permite, tengo que hacer mi práctica de SwáSthya.

—No sabía que usted aún practicaba.

—En realidad, en el nivel en que me encuentro, practico Yôga las veinticuatro horas del día. Lo que sea que yo haga, es automáticamente Yôga. Si me alimento, es Yôga; si excreto, es Yôga; si respiro, es Yôga; si duermo, es Yôga; si peleo con alguien, es Yôga también. Pero ahora me refiero a una práctica formal de ashtánga sádhana.

—No concuerd... ¡disculpe! No comprendo eso de practicar las veinticuatro horas del día sin hacer, sin embargo, una práctica convencional. Sivánanda, Vivêkánan-

---

egrégoras. Existen mantras para facilitar la concentración y la meditación, mantras para serenar y para energizar, para adormecer y para despertar, para aumentar la capacidad respiratoria y para educar la dicción, para desenvolver los chakras y despertar la kundaliní, para mejorar la salud y hasta para matar en casos extremos de auto-preservación del yôgi, cuando es atacado. Lea al respecto en nuestro libro **Yôga, Mitos e Verdades** el caso del viejo sabio que, para defenderse, habría matado a un malhechor en la India, tan sólo emitiendo un mantra.

da, Yôgánanda y otros Maestros, también estaban inmersos en el Yôga y se podría decir que practicaban las veinticuatro horas del día. A pesar de eso eran gordos y murieron pronto. Eso de practicar veinticuatro horas por día ¿no puede ser un sofisma utilizado por aquellos que ya no practican?

—Hay muchos niveles de prácticas. Hay un momento en que es importante hacer del cuerpo una escultura y exacerbar la salud como medio casi indispensable para energizar los chakras, despertar la kundaliní y acelerar la evolución. A partir de determinado índice de aceleración evolutiva, usted puede hasta engordar o enfermarse, y nada más impedirá la continuidad de su desenvolvimiento. Eso no quiere decir que a partir de entonces usted se va a permitir engordar o estar enfermo. En el caso de los Maestros mencionados, ellos eran todos de línea Vêdánta-Brahmáchárya, corriente que no da importancia al cuerpo y además lo considera como una traba para la evolución. Por eso, en esa línea, muchos Maestros relegan el cuerpo a una condición muy inferior a los de línea Tántrika.

—Entonces, me gustaría que me explicase mejor cómo es "practicar las veinticuatro horas del día".

—Quien va avanzando en la senda, comienza realmente a practicar Yôga fuera de la sala de clase, en todas las actividades diarias. Es como si el yôgin fuese un Midas que, en lugar de convertir las cosas en oro, convierte todo lo que toca en puro Yôga, que vale mucho más que el noble metal. Se lo voy a explicar a partir de un ejemplo simple: el practicante comienza a hacer ejercicios respiratorios en sala de clase y aprende a ejecutar una respiración completa, nasal, silenciosa, lenta y ritmada. En suma, aprende a respirar bien. Sería una estupidez aprender a respirar bien y luego terminar la clase y salir respirando mal. En la sala de clase se aprende; en la vida se aplica lo aprendido. De otro modo, sería como si uno hiciese un curso de contabilidad, pero sólo la aplicara dentro de la escuela de contabilidad, y fuera de ella no la utilizase. ¿Para qué serviría, entonces, haber aprendido contabilidad? Así, el practicante más avanzado va incorporando un reflejo de respirar todo el tiempo de la forma como entrenó durante años. O sea, poco a poco, en su vida privada, en el trabajo, en los deportes y durante el sueño, va a estar practicando pránáyáma las veinticuatro horas del día. Lo mismo ocurre con las demás técnicas. Bien, ahora realmente me tengo que ir. Estoy desarrollando una investigación sobre estados de conciencia expandida y, para eso, necesito la práctica formal. Lo veo la semana próxima.

V

LAS PARANORMALIDADES

El día marcado, ahí estaba el joven postulante, puntualmente, esperándome en la sala de teoría, sentado en padmásana delante de una enorme escultura de Shiva que adorna y protege el lugar. Cuando lo vi, me pareció que eran dos aspectos del mismo Shiva. Al frente, Natarája, el Rey de los Bailarines, en bronce, danzando dentro de un círculo de fuego, al ritmo de su damarú, el tamborcito de dos faces con el cual marca el ritmo del Universo. Sentado, delante del Natarája, Shankar, el Shiva saddhu, meditante de las montañas.

Lo saludé. ¡Esta vez sonrió! Entramos en mi escritorio. Vi que fijó la mirada largamente en un trishúla de Shiva, envuelto en japamálas de rudrákshas, que tengo clavado verticalmente en la mesa donde escribo mis libros.

—¿Lindo, no?

—Impresionante, eso sí. Muy fuerte. El trishúla me da la sensación de estar en presencia de Shiva.

—Traje estas piezas de los Himalayas, después de bañarlas en el río Ganges. Fue una manera de importar la vibración de Rishikesh a mi sala.

—¿Puedo tocar?

—Prefiero que no. Pero si le gustan tanto las cosas de la India, vamos hasta las escaleras. Le voy a mostrar algo interesante.

Mientras íbamos, le pregunté:

—¿Sabe lo que es el Taj Mahal?

—Sé que es una de las Siete Maravillas del Mundo, que está situado en la India, que es inmenso, todo construido en mármol blanco.

—Muy bien. Vea este cuadro.

El joven miró largamente el cuadro con una foto del Taj Mahal; abajo, dentro del cuadro y protegida por un vidrio especial, había una piedra blanca. Al lado, lo siguiente:

Esta piedra es parte del Taj Mahal.
Emoción, devoción, pasión.
El corazón palpitando fuerte,
los ojos húmedos al sentir como en la propia carne
el golpe de cincel del artesano
que, para recuperar la Obra,
soltaba chispas de mármol,
como lágrimas, de las paredes del Taj.

—¡Uau! ¿Esta piedra es del Taj Mahal? ¿Usted arrancó un pedazo de él?

—¡No! Jamás haría una cosa así. Durante una obra de recuperación, varias lascas del Taj cayeron al suelo.

Pregunté qué iban a hacer con ellas. Los obreros me dijeron que irían a la basura. Pedí permiso para recoger algunas. Fue una de las mejores ideas que tuve, pues hoy tengo en casa un pedazo del Taj Mahal. Imagine que esta piedra pasó cientos de años en las paredes de una de las Siete Maravillas del Mundo, y ahora está aquí, delante de usted. Venga a ver este otro cuadro.

La cara que estaba poniendo mi visitante era mi mayor gratificación. Saber que alguien, además de mí (¿además de mí?), estaba valorizando aquella simple piedra. No resistí y le mostré otro cuadro.

—¿Sabe algo acerca de Khajuraho?

—No.

—Khajuraho es un pueblo que tiene una gran cantidad de templos que los más o menos informados llaman Templos Tántricos.

—¿Por qué? ¿No son tántricos?

—Son y no son. Depende de la interpretación. Sus paredes externas están cubiertas de esculturas eróticas del más fino arte, algo que haría morir de envidia a los escultores griegos. Constituyen un importante patrimonio de la Humanidad. Vea este otro cuadro.

Allá estaba la foto de un templo y, abajo, un fragmento de piedra arenisca. Más abajo, la leyenda:

Esta piedra fue parte de un Templo de Khajuraho.
Para el indio, escombros.
Para nosotros, reliquia.
Una simple lasca de piedra,
cuya pared, por siglos, observó
tantos rituales eróticos
que se impregnó de amor.

—Estoy emocionado— dijo el muchacho, pasándose rápidamente las manos por los ojos, como queriendo disimular las lágrimas.

—Yo sentí lo mismo. Cuando vi de lejos un andamio en torno de un Templo, me aproximé para buscar las esquirlas que inevitablemente estarían cayendo al suelo. Una vez más, pedí permiso para recoger algunas de las que iban a descartar. Para ellos no tienen valor alguno, pero para nosotros, traer un pedazo de la India, y más, un pedazo de un Templo de Khajuraho, es una experiencia conmovedora.

—Usted tiene una casa sorprendente. Lo que me consuela es que un día yo también la tendré.

—Con certeza.

—Si estuviese rodeado por todas esas cosas, ni precisaría practicar las técnicas. Entraría en sintonía y aprendería por ósmosis.

—Los objetos materiales ayudan para el nyása[13], pero no puede depender de ellos. Es la práctica la que va a

---

[13] **Nyása** significa identificación. Consiste en un ejercicio de origen tántrico que busca producir un fenómeno muy peculiar en que el practicante se identifica de tal manera con el objeto de su concentración, que pasa a poseer las características de ese objeto. Terminado el nyása, las características cesan. Sin embargo, si el yôgin practica sistemáticamente nyása sobre un mismo objeto, gradualmente sus cualidades van siendo incorporadas por él. Así, si el sádhaka practica nyása con su Maestro, va a comprender mejor su enseñanza. Pasa a incorporarla como suya.

Satguru nyása sádhana: se trata de una práctica muy fuerte. Es tan poderosa por el hecho de que el discípulo la recibe por vía directa, de adentro hacia afuera, en una especie de catarsis desencadenada por acción de la presencia del Maestro. Este sádhana sólo puede ser transmitido por el Satguru, es decir, por el Maestro de los demás Maestros de ese linaje. Su simple presencia cataliza las energías de conducirlo a algún progreso palpable. Y hablando de eso, ¿cuánto tiempo por día practica?

—Actualmente estoy practicando siete horas por día, estudiando siete horas y durmiendo otras siete. Las tres que restan son para las comidas. La gente dice que me estoy volviendo fanático, pero no pienso así.

—No es el coeficiente de compromiso lo que determina el fanatismo, sino la forma en que inserte eso en la vida de relación y lo administre en las actividades mundanas. Por otro lado, no cualquier persona puede dedicarse las veinticuatro horas del día a un programa tan rígido sin desarrollar alguna secuela. Por eso, **no le recomiendo exagerar**. No fueron pocos los practicantes que se inscribieron en programas de ashram, con inmersión total durante un mes con otros profesores, y después me dio trabajo traerlos de vuelta a la realidad objetiva.

—Todos saben que usted también practicó siete horas por día y estudió otras siete, exactamente como yo, años y años. La gente lo respeta exactamente por ese motivo, porque no es un teórico, practicó mucho y conquistó prácticas avanzadas...

—Por eso mismo sé qué cerca llegué de una disociación.

—No entiendo lo que viene a ser una disociación.

—Disociación es una consecuencia psiquiátrica del nirbíja samádhi.

—Pero sus discípulos afirman que usted alcanzó el samádhi.

---

los sádhakas y ellos comienzan a ejecutar ásanas, mudrás, pránáyámas, mantras, bandhas, kriyás, dháraná, dhyána y samádhi, sin que el Preceptor transmita ninguna enseñanza concretamente.

—El sabīja samádhi es un estado de conciencia expandida que no disuelve la personalidad y permite que uno continúe en contacto cultural con sus semejantes, trabajando, manteniendo relaciones afectivas y valorizando cosas como el dinero, el sexo, etc., igual que el resto de la Humanidad. Así, las personas pueden incluso considerarlo excéntrico, pero difícilmente lo juzgarán loco, en el sentido psiquiátrico del término. La gran evolución se produce al darse cuenta de que todo eso es ilusión, pero que tiene su valor dentro del contexto ilusorio. Ya en el estado siguiente, el nirbīja samádhi, la iluminación es tan grande que se produce una desconexión de valores. La evolución es tan superlativa que sería como querer que hubiese diálogo entre Einstein y una ameba. Toda la sociedad de las amebas declararía que Einstein está clínicamente loco. Cuando comprendí, allá por los veintitantos años de edad, que yo podía mover la kundaliní como quisiese y entrar en estado de conciencia expandida varias veces por día, permaneciendo varias horas cada vez, concluí que era tiempo de reducir las prácticas. Comencé a sentirme extraño, así como usted está ahora. Si yo fuese usted, reduciría el ritmo.

—Si yo reduzco el ritmo, no alcanzo las paranormalidades o los estados de conciencia que las suceden.

—¿Ya comenzó a experimentar las paranormalidades?

—¿Usted no lo sabe?

—No me acuerdo.

—Me parece que con usted puedo abrirme. Desde el inicio me di cuenta de que tenía facilidad para determinados siddhis. En cuanto aumenté el tiempo de práctica y apliqué ejercicios más avanzados, los poderes se manifestaron. Sólo que entonces mis hermanos teosofistas, rosacruces y otros comenzaron a censurarme por eso. Yo argumentaba con ellos y les decía que todos los libros de Helena Petrovna Blavatsky, Annie Besant, Leadbeater, Krumm-Heller, Rudolf Steiner y otros, se basaron en sus propias paranormalidades. ¿Por qué para ellos esos poderes eran lícitos y loables, pero para mí serían ilícitos?

—Porque usted es joven, brasileño, latinoamericano. Si fuese indio, de la misma edad, aquellas personas lo reverenciarían. Son unos tontos. No se impresione con eso. La cuestión no es si es lícito o no el desenvolvimiento de los poderes. La cuestión es cómo y cuándo utilizarlos. Además, jamás, jamás realmente, haga alarde de poseer alguna facultad que los otros no tengan. Lo primero que va a ocurrir es el desafío, para que pruebe lo que está diciendo. Entonces usted caerá en el exhibicionismo de los siddhis. No preciso decirle que esa utilización es censurable. Luego van a intentar probar que todo es un truco y lo llamarán prestidigitador, mago, charlatán. Finalmente, cuando todos estén convencidos de su poder, van a sentir temor y tratarán de destruirlo.

—Ese riesgo yo no lo corro. Todos los que me atacan contraen cáncer y cosas peores.

—¿Y le parece lindo?

—No. Yo no hago nada. Son los Maestros que ya han ascendido, que están protegiendo a quien se consagró en cuerpo y alma a la preservación del Yôga Ancestral.

—No sea infantil. Con dieciocho años de edad usted ya puede comprender lo que está pasando. Admito que no sea responsable por aquellos hechos, pero reconozca que es feliz cuando alguien que habló mal de usted contrae una enfermedad grave o sufre algún infortunio trágico.

—Bueno... No es tan así. No es que me ponga feliz. Es que...

—Es que usted se considera muy poderoso, el protegido de los Maestros. Eso es orgullo. Es ego crudo, sin pulir.

—Tiene razón.

—¡Mire qué karma! ¿Y qué hizo para atenuar el castigo de aquellas personas? Nada.

—No.

—Entonces, a partir de ahora, empiece a hacer mentalizaciones de luz violeta en favor de esos desdichados. Así atenuará el karma de ellos, y el suyo también.

—Voy a hacer eso.

—¿Ya observó que generalmente las personas que contraen ese karma son los seguidores de otras líneas de Yôga (ellos se consideran sus enemigos), o bien sus disidentes?

—Lo noté.

—Considere ahora la posibilidad de que ellos se vuelvan vulnerables por dos razones: una es el sentimiento pesado que alimentan contra usted; la otra es la falta del pújá[14], pues los que enseñan otras modalidades no utilizan pújá, y sus disidentes **dejan de hacer** esa técnica.

---

[14] **La falta del pújá** puede lesionar al instructor severamente. Después de todo, cuando los Antiguos elaboraron el pújá como parte fundamental de la práctica de Yôga, sabían lo que estaban haciendo. ¿¡Con qué petulancia los contemporáneos deciden que eso no es importante y lo suprimen!? Los instructores de Yôga occidentales tienen complejo de Dios. Creen que son inmortales, que sus energías son inagotables y que pueden enseñar Yôga durante años, dando y dando siempre, sin agotarse. El síndrome de divinidad es tan agudo que muchos profesionales, además de no enseñar pújá a sus alumnos, seleccionan a los más débiles y carentes de energía para trabajar con ellos, a veces, exclusivamente: ¡son los que dirigen su divulgación específicamente hacia los ancianos y enfermos! No es sorprendente

—¡Es verdad!

Cuando la conversación se estaba calentando, fui llamado por mi fiel escudero, Charles Maciel, para resolver una cuestión administrativa. Despaché a mi compañero de debates y, como siempre, lo invité a retornar.

---

que ese tipo de instructor termine por contraer serios problemas de salud. En primer lugar, se vuelve neurasténico y con síntomas psicóticos. En una segunda fase, somatiza enfermedades que absorbió por interferir con el karma de sus alumnos sin aplicar el dispositivo de seguridad que nos proporcionaron los Maestros Ancestrales: el pújá. Y, finalmente, muere pronto, totalmente consumido. Obsérvese que en nuestra Escuela, que utiliza pújá, en casi cuarenta años no se produjo ninguna muerte. Considerando que somos cerca de doscientas Unidades en el Brasil, más de treinta en otros países y miles de instructores, estamos ante un dato estadístico que merece estudio. ¿Y hay alguna explicación para que los instructores de nuestro tipo de Yôga tengan más salud y vivan más tiempo que los demás? Ciertamente: utilizamos la técnica llamada pújá y somos de línea tántrica, que valoriza el cuerpo, la salud, el placer y ese milagro que es la vida.

Más esclarecimientos sobre el pújá, en la nota del capítulo X de este libro, así como en los videos del *Curso Básico de Yôga* y en el libro *Yôga Avanzado*.

VI

SEXO Y KUNDALINÍ

En São Paulo tenemos las cuatro estaciones del año cada día. Yo había salido de casa con un sol rajante. Ahora, caía una lluvia torrencial. Había terminado de dictar un curso de formación de instructores de Yôga en la Pontificia Universidad Católica y estaba llegando a la Sede Central, en la Al. Jaú 2.000. En cuanto estacioné mi auto, vi una figura encogida de frío y mojada hasta el alma. Me fijé mejor. Era mi amiguito de dieciocho años de edad. Lo saludé:

—¡SwáSthya!

—SwáSthya, Maestro.

—¿Qué está haciendo aquí, bajo la lluvia?

—Su secretario me dio cita para hoy. Toqué el timbre, pero no había nadie. Leí en la puerta el aviso de que estarían todos en la facultad participando de su curso. Lamenté no haber podido ir, pero me senté aquí y esperé.

—Podría haberse protegido de la lluvia yendo a otro lugar, en lugar de quedarse apostado aquí en la puerta —le dije, abriendo la puerta y haciéndolo pasar.

—Sí, pero no quería atrasarme. Y además, está en mi temperamento hacer cosas así. Siempre las hice. Últimamente, tal vez debido a nuestras conversaciones, estoy notando algunas maniobras de mi subconsciente y creo que hago esas cosas para mostrar qué dedicado, serio y confiable soy.

—¡Y loco!

—¡Maldición! Hasta usted me considera medio demente...

—Sí, pero vamos a ocuparnos de eso. Usted tiene algunas buenas cualidades. Si conseguimos canalizar sus extremismos, aprovecharemos esa energía para fines constructivos. Tome este abrigo y vaya a cambiarse esa ropa mojada antes de que se pesque una neumonía.

—No, gracias. Yo me estoy entrenando para que mi cuerpo se vuelva más resistente y mi mente más apta a dominar las limitaciones de la materia.

—Habló un perfecto idiota occidental de línea Vêdánta-Brahmáchárya. Después usted dice que no es Brahmáchárya.

—Hoy está enojado conmigo... Y yo nunca dije que no era Brahmáchárya. Yo declaré que no era Vêdánta.

—Está bien. Ahora vaya a cambiarse esa ropa, que está mojando mi casa. No le estoy ofreciendo una gentileza. Le estoy dando una orden.

—Ok, ok, ya fui.

—Cuelgue la ropa mojada en el secador térmico de toallas.

—¡Tártaro!

—¿Qué?

—¡Tártaro!

—¿Qué? ¿Quiere un hilo dental?

—Se está poniendo viejo. ¿Ya se olvidó? *Tártaro* es la nueva manera de decir *bárbaro* en la década del 60. La palabra *bárbaro* está gastada, nadie más habla así. Los tártaros también eran pueblos bárbaros, sólo que más recientes. De ahí la relación.

—¿Y qué fue lo que le pareció bárbaro, o más bien, tártaro?

—Allá en Río no tenemos de esas cosas, como secadores térmicos para toallas. Mucho menos en mi tiempo.

—Incluso hoy todavía no hay. Quien quiere sofisticación viene a São Paulo, la mejor ciudad del mundo para vivir.

—No sé, no. ¿Y la naturaleza exuberante de Río, las montañas, la playa? ¿Y las chicas de Ipanema?— mientras decía esas palabras, volvía para mi sala y se desparramaba en el sofá.

—Qué bueno que tocó ese asunto. Tenemos que hablar de chicas y de sexo. En una de nuestras primeras conversaciones le pregunté si no estaba de novio y usted me dijo que se admiraba de que un Maestro de Yôga sugiriese tal cosa. ¿Usted cree que el Yôga prohíbe el sexo?

—Prohibirlo, no lo prohíbe. Pero todos los libros de Yôga que leí hasta hoy recomiendan la abstinencia sexual para que no se produzca una pérdida de energía.

—Libros de línea Brahmáchárya. Esa corriente aria, menos antigua que la corriente dravídica, parte del principio de que hay que reprimir la energía sexual a fin de generar presión suficiente para impulsar la kundaliní hacia arriba, del perineo hasta el cerebro.

—¡Eso mismo!

—Con ese procedimiento pueden producirse varias

consecuencias. La abstinencia sexual reduce la libido. No habiendo libido suficiente, la kundaliní no puede ser despertada.

—¿Por qué, entonces, los Maestros de línea Brahmáchárya recomiendan el celibato?

—Ellos apuestan a que, taponando su sexualidad, esta pueda explotar. Y apuestan a que explote en la dirección correcta. Pero sólo una persona en un millón lo consigue. El propio Yôgánanda declara que de cada mil personas que entran a la línea de él, sólo una continúa, y de cada mil que persisten, solamente una alcanza la meta. Juntando todos los ceros, tenemos apenas un practicante exitoso por millón. Eso, sin mencionar a los que sufrieron accidentes con las tentativas malogradas. Por ese motivo, los seguidores occidentales de la vertiente Vêdánta-Brahmáchárya tienen tanto miedo de despertar la kundaliní.

—De hecho, todos dicen que es peligroso.

—Para ellos, sí. Si alguna nádí, algún canal de la red de vascularización pránica, está obstruido, la kundaliní no sube por la sushumná nádí, sino que, por el contrario, produce un derrame que puede matar o crear secuelas en el sistema nervioso central para el resto de la vida.

—¿Con el SwáSthya Yôga no corremos esos riesgos?

—No. Nosotros seguimos la tradición del Tántrika ancestral que tiene un indiscutible *know-how* y cinco mil años de garantía. Los espiritualistas occidentales piensan que las recomendaciones del Yôga antiguo son meras formalidades y no las cumplen. La mayoría fuma, o toma su vinito, o come sus carnes blancas, que también son carnes (¿o será que por ser de aves o de peces salen de la categoría de carne y pasan a ser vegetales?). La mayoría

hace todo eso junto. Conozco a varios que fuman mari-
huana. El resultado es la obstrucción de las nádís y los
consecuentes accidentes graves que sufren. No es casual
que tantos de ellos sean locos.

—¿Basta con no comer carne, no fumar y no beber
para tener seguridad al trabajar con la kundaliní?

—Eso es sólo el comienzo. Es preciso practicar bhúta
shuddhi, que purifica el cuerpo físico denso y el cuerpo
físico energético. Después, káma shuddhi, que depura el
vehículo emocional y tiene reflejos también en la materia,
pues al manifestar sentimientos pesados, las personas comunes segregan toxinas que también terminan por escle-
rosar las nádís. Paralelamente, es preciso practicar una
cantidad de técnicas.

—Nunca oí hablar de bhúta shuddhi.

—Va a encontrar algo en los libros de Sir John Woodroffe, un magistrado británico del siglo pasado, que escribió *Principles of Tantra*, *The Serpent Power*, *Shakti and
Shakta*, etc. Pero él discurre sobre otra línea de Tantra
que no es la nuestra. La de él es Kaulachara, del siglo XI
d.C. La nuestra es Dakshinachara, de 3000 a.C. Hay diferencias muy grandes entre esas dos corrientes, pues
están separadas por cuatro mil años. La medieval es más
ritualística, litúrgica, simbólica, dogmática, o sea, enroscada. El Tantra primitivo, preario, es totalmente descom-
plicado, *light & clean*. En nuestra visión del Tantra, bhúta
shuddhi es la etapa de purificación intensiva del cuerpo y
sus canales de prána, las nádís. En la tercera parte del
ády ashtánga sádhana (el anga mantra) y después en la
quinta parte (el anga kriyá), ya damos los primeros pasos
en esa tarea. Se trata ahora de especializar y profundizar
la purificación, no sólo con mantras, kriyás, pránáyámas,
sino también con una rígida selección de alimentos, ayu-

nos regulares moderados, y con un sistema de reeducación de las emociones para que el practicante no ensucie su cuerpo con los detritos tóxicos de emociones viscosas como el odio, la envidia, los celos, el miedo, etc. También tratamos de regular la cantidad de ejercicio físico, de trabajo, de sueño, de sexo y de alimentos. Hay una medida ideal para cada uno de esos factores. Cualquier exceso o carencia puede comprometer el resultado deseado. Estos y otros recursos se utilizan para dejar los canales desobstruidos, desesclerosados, a fin de que la energía pueda fluir libremente cuando sea despertada. De lo contrario, si despertamos la kundaliní sin haber liberado antes su camino por las nádís, su eclosión avasalladora puede romper los conductos naturales y deslizarse hacia donde no debe, causando inconvenientes a la salud. Como los practicantes de "la yoga", con *ó* abierta, no conocen los procedimientos correctos, nutren un justificado miedo de despertar la kundaliní. El hombre recela de lo desconocido y ese tema, para los de "la yoga", es ignorado, misterioso. De ahí el misticismo de algunos. En realidad, siguiendo las reglas del juego y la orientación de un Maestro, despertar la kundaliní es menos peligroso que atravesar la calle. Por eso, los practicantes del Yôga, con *ô* cerrada, no le temen y dominan perfectamente ese proceso de desenvolvimiento.

—Entiendo. Por eso es que el coronel dice que "*la yoga*" no tiene nada que ver con "*el kundalíni*", asusta a todo el mundo con sus supuestos "peligros" y declara que "quien despierta '*el kundalíni*' no entra en el reino de los cielos".

—Paradójicamente, el coronel afirma por escrito que es discípulo de Sivánanda, aunque ese Maestro tenga una opinión bien diferente al respecto. Un discípulo sincero no contradice a su Maestro.

—¿Qué es lo que él dice?

—Srí Swámi Sivánanda declara formalmente en su libro *Kundaliní Yôga*, Editorial Kier, página 70 de la primera edición: "ningún samádhi es posible sin despertar la kundaliní" y reconfirma en la página 126: "ningún samádhi es posible sin el despertar de la kundaliní". Ahora, sabiendo que la meta del Yôga, de cualquier modalidad de Yôga verdadero, es el autoconocimiento proporcionado por el samádhi (*Yôga Sútra*, cap. II, 29), y que sin despertar la kundaliní no alcanzamos esa meta del Yôga, entonces, practicar Yôga sin despertar la kundaliní es tan eficaz como el ping-pong, para conducir al autoconocimiento.

—Sivánanda era Vêdánta-Brahmáchárya y, a pesar de eso, defiende una opinión igual a la suya.

—Sí, por eso yo lo cito, para demostrar que tener miedo de despertar la kundaliní no es la posición oficial del Yôga. Los Vêdánta-Brahmáchárya hindúes no sufren del síndrome del pánico a la kundaliní como los Vêdánta-Brahmáchárya occidentales, especialmente los latinoamericanos, cargados de conceptos de miedo y de pecado.

—Quiere decir que para alcanzar la autorrealización...

—Está mal.

—¿Qué?

—"Auto-realización". Sé que eso está en todos los libros, pero es una traducción equivocada del término *self-realization*. El verbo *to realize* aquí significa tomar conciencia, advertir. Preste atención, cuando mire una película estadounidense o británica, que la frase: *"Yes, I realize that"* no significa "Sí, yo realizo esto", sino "Sí, yo advierto esto". Traducir *self-realization* como autorrealización constituye una terrible *gaffe* cultural. La traducción correcta es: concientización del Self (Self = púrusha, en el Sámkhya;

atmam, en el Vêdánta; mónada, en la Teosofía; Sí Mismo, en la traducción preferida en diversos países de lengua hispánica, etc.), o autoconcientización, autopercepción.

—Usted es realmente un iconoclasta. Si conversamos un poco más no va a dejar piedra sobre piedra en lo que yo estudié antes.

—Su vocabulario es muy bueno para un chico de dieciocho años.

—Gracias. Es que yo leo mucho. En realidad, leo todo el tiempo, leo de todo.

—Por eso me preocupo para que mis discípulos no polucionen su inteligencia con las miríadas de tonterías que se encuentran en la mayor parte de los libros. Es una cuestión de economía de tiempo y de trabajo. De lo contrario, construirán una estructura paradigmática, y después van a tener el trabajo de demoler todo y construir otra vez. Es mejor comenzar bien y no hacer mescolanzas.

—Lo que pasa es que yo devoro los libros. Ya leí miles de ellos. ¿Tengo que dejar de leer?

—Si usted es sólo un curioso que quiere saber un poco sobre muchas cosas y mucho sobre ninguna, lea todo lo que quiera. Pero si está identificado con la propuesta de este tipo de Yôga, si representa para usted un camino suficientemente completo, que le satisface plenamente al punto de ya no querer seguir buscando aquí y allá, entonces pare con la intoxicación de teoría. Leer todo lo que le caiga en las manos sólo por tratarse supuestamente de Yôga o de otra filosofía, arte o «ciencia» que usted presume correlativa, es un comportamiento inmaduro, fútil y dispersivo.

—¿Y no servirá como atenuante el hecho de que sólo leo libros bien recomendados, de buenos autores y buenas editoriales?

—Primeramente, la mayor parte de los libros sobre Yôga y similares, que se encuentran comercializados, no sirve. Su lectura perjudica más que ayudar. ¡Es mejor no saber nada que pensar que se sabe! Después, aun si encontrara varias buenas obras y varios buenos Maestros —y sería realmente un fenómeno de suerte— incluso así, la dispersión de involucrarse con más de una metodología, comprometería los eventuales resultados positivos que podría recoger si se concentrara en una sola vía.

—Entiendo...

—Imagine que una persona quisiera hallar agua y se pusiera a dispersar tiempo y trabajo cavando varios pozos al mismo tiempo en lugar de concentrarse en uno solo. Y ante cada agujerito recién comenzado, interrumpiese para ir a cavar otro, y después volviese al primero; cambiara de nuevo para experimentar un tercero, y así sucesivamente. Después de perder mucho tiempo y desperdiciar mucho trabajo, probablemente abandonaría todas las tentativas, desanimado, declarando que definitivamente no sirve de nada cavar, pues supone que ninguno de ellos dará agua. Sin embargo, es probable que todos hubiesen dado agua (de diferentes calidades y a diferentes profundidades), si el inconstante se hubiese concentrado en un solo pozo.

—¿Sabe lo que me confunde? Que los demás autores no son claros en cuanto a esa orientación. ¿Estarán disimulando ante el lector, para no ser considerados radicales?

—Algunos hasta alertan discretamente en cuanto a eso. Muchas veces es el lector el que no quiere registrar la advertencia. Vivêkánanda, por ejemplo, se refería a ese tipo de gente en la parábola del hombre que, al llegar a un árbol frutal, dio un mordisco a cada fruta para ver si había alguna que le agradara más, en lugar de tomar una para saciar su hambre. En suma, lea pocas y buenas cosas. No haga mezclas. Adopte una línea de conducta seria e inteligente, un plan para el estudio orientado en una dirección definida —como quien sabe lo que quiere— y jamás ecléctica, bajo ningún pretexto. Son considerados practicantes de primera clase los que se dedican exclusivamente al Yôga y, dentro de este, a una sola modalidad, sin mezclarla con ninguna otra. Lo mismo se dice de los instructores y, de ellos, con mucha más razón.

—¿Y qué libros debo leer?

—Leer, ninguno. Debe estudiarlos. Los libros indicados en nuestra Bibliografía Recomendada son algunos de los mejores y no son muchos. Incluí solamente a autores serios como Shivánanda, Mircea Eliade, Van Lysebeth, Georg Feuerstein, John Woodroffe y otros del mismo palo. Si ya los leyó todos, más vale releerlos varias veces que entregarse a aventuras literarias que, ciertamente, comprometerán su buen rumbo.

—¿Y si estoy en una librería y me dejo seducir por la curiosidad, cómo podré identificar los mejores libros y los más serios?

—Hay diversos tipos de literatura de Yôga. Voy a describir algunos para que pueda tener idea de lo que está adquiriendo al comprar un libro sobre la materia. Los más confiables son los libros escritos por yôgis que vivenciaron experiencias y relatan los medios para obtener buenos resultados. Esos son los libros a los que debe dar prioridad.

—¿Y los otros?

—En segundo lugar, vienen los que están más acá de la iniciación práctica y teorizan a más no poder con el fin de tratar de comprender lo que enseñan los primeros. Este tipo de literatura se identifica fácilmente, ya que sus autores suelen usar frases tales como: "los yôgis dicen..."

o «según los yôgis...», porque reconocen que ellos mismos no saben y tampoco son yôgis.

—Veo que esos autores no son confiables, hasta por el hecho de que no asumen la responsabilidad de aquello que afirman. Si alguien quiere cuestionar y debatir, ellos se defienden diciendo "no fui yo quien lo declaró. Yo escribí sólo lo que 'los yôgis dicen', no soy yo quien lo dice", ¿no?

—Sí, pero hay libros aun peores. Son los que simplemente repiten aquello que dijeron los primeros y los segundos, elaborando una literatura de tercera, totalmente innecesaria, dispensable y meramente plagiada. También es facilísimo identificar esos libros, ya que sus autores abusan de frases de terceros, acompañadas de "conforme dice Fulano", "según Mengano", "en la opinión de Zutano", etc.

—No se preocupe. Ese tipo de libros, yo no leo. Incluso, ya observé esa tendencia a publicar "colchas de retazos".

—Pero todavía hay algo peor. Son los libros populares, para consumo y pseudo información de los legos. Legos, antes de leerlos. Después, pasan a ser mal informados y engañados. Empiezan a repetir disparates. Generalmente los títulos son algo como: "Cure su dolencia con la yoga" o "Yoga en diez lecciones". Claro que existen excepciones.

—¡Es verdad!

—Hay, además, libros que mezclan todo lo que es oriental y hacen una ensalada de India, Tíbet, Nepal, Egipto, China y Japón, embarullando Hinduismo, Budismo, Taoísmo, Shintoísmo, Sufismo, Chamanismo, Zen y lo demás que el autor haya leído. Es que los occidentales sucumben ingenuamente al síndrome de la ilusión de perspectiva, según la cual "Oriente" es un lugar muy distante, allá donde las paralelas se encuentran. Entonces, juzgan que todas las filosofías orientales conducen al mismo lugar. Además, el escritor occidental piensa que constituye una demostración de cultura encontrar puntos de convergencia entre los múltiples sistemas. Así, el lector adquiere un libro de Yôga, porque quería Yôga, y acaba llevando a su casa una serie de otras cosas que no quería y que sólo sirven para llenar las páginas que el conocimiento limitado del autor hubiera dejado en blanco, si se hubiese restringido al asunto propuesto. Hay un libro que pretende disertar sobre mudrás del hinduismo e, inadvertidamente, hace una miscelánea de mudrás de otros países y de otros sistemas. Ese procedimiento induce al estudiante al error de introducir mudrás alienígenos en una práctica ortodoxa de Yôga, creyendo actuar correctamente. ¡Estoy harto de corregir a alumnos de Yôga que se sientan a meditar y forman con las manos un mudrá del Zen! Eso es un error equivalente a ejecutar un katí de Kung-Fu en una clase de ballet clásico o ponerse a bailar tango en una clase de Karate. Yo mismo, cuando tenía su edad, utilizaba mantras en hebreo, de la Cábala, en las prácticas de Yôga, pues los libros que leía inducían a eso y nadie me advirtió en contrario, como estoy haciendo ahora. Mezclar, además de no ser un procedimiento serio, puede producir consecuencias imprevisibles[15].

—Está bien. Fue una hermosa indirecta con relación a los mantras que yo venía utilizando. Voy a prestar atención a eso. De hecho, contraje ese error leyendo libros del tipo que

---

[15] A propósito de esto: el Yôga más antiguo es de raíces Tantra y Sámkhya, por lo tanto, esas tres filosofías poseen compatibilidad de origen. Se unen, no se mezclan. Pueden unirse por ser de naturalezas diferentes: el Yôga es **práctico**, el Sámkhya es **teórico** y el Tantra es **comportamental**. Lea, en este mismo libro, las leyes de compatibilidad de las egrégoras.

usted critica. Tiene razón. Francamente, no imaginaba que existiesen tantas variedades de libros desaconsejables.

—Todavía no terminé. Los libros más peligrosos son los que buscan adoctrinar al lector para alguna otra ideología y usan como señuelo el nombre del Yôga, ya que este tiene un respetable *fans club*. El interesado compra el libro y lleva gato por liebre. Si hay 5% de Yôga en todo el volumen, es mucho. El resto suele ser catequesis para el Vêdánta, o Teosofía, o proselitismo en favor de alguna secta exótica. El Yôga más antiguo —preclásico y clásico— era Sámkhya (naturalista). Por lo tanto, el Yôga más auténtico es de esa corriente. En la Edad Media apareció un Yôga moderno, de línea Vêdánta (espiritualista).

—¿Cómo saber si el libro de Yôga es de tendencia Sámkhya, más auténtica, o Vêdánta, más moderna?

—Aquí van algunos consejos para el lector que tiene pocas nociones de las dos filosofías citadas. Los libros que mencionan más veces el término *Púrusha* y pocas (o ninguna) el término *Átmam*, para designar el *Self*, suelen ser de tendencia Sámkhya. Por el contrario, los que citan muchas veces el vocablo *Átmam* y pocas (o ninguna) la palabra *Púrusha*, son casi siempre de línea Vêdánta o, eventualmente, de alguna otra bajo su influencia. Los que usan indiscriminadamente los dos términos, no son de ninguna línea. Ni saben que existen linajes y que es filosóficamente incoherente no definirse por una única. Cuestionados al respecto, afirman con vano orgullo: "No soy de ninguna línea específica, soy de todas". Esos son ciertamente autores occidentales (o, en raras ocasiones, indios que quieren dar el gusto a los consumidores occidentales, pues saben que el europeo y el estadounidense pagan bien por la confusión). No tuvieron un buen Maestro. Si lo tuvieron, no entendieron nada de lo que les enseñó.

—Entonces, considerando que yo debo haber asimilado muchas falsedades, por favor, quisiera aclarar los conceptos que leí sobre la kundaliní.

—No voy a perder mi tiempo con usted, a menos que asuma el compromiso de no leer ninguna porquería. De lo contrario, usted me dará más trabajo y en esta fase de mi vida yo no preciso de eso.

—Se lo prometo.

—¿Puedo confiar?

—Juro y prometo, por mi honra y por mi vida, que de ahora en adelante jamás leeré ningún libro que trate de Yôga o asuntos semejantes sin su autorización, ni frecuentaré otras escuelas, entidades, Maestros, monjes o lo que sea.

—Muy bien. Kundaliní es una energía física, de naturaleza neurológica y manifestación sexual. El término es femenino, debe ser siempre acentuado y con pronunciación larga en la í final. Significa serpentina, aquella que tiene la forma de una serpiente. De hecho, su apariencia es la de una energía ígnea, enroscada tres veces y media dentro del múládhára chakra, el centro de fuerza situado próximo a la base de la columna y a los órganos genitales. Mientras está adormecida, es como si fuese una llama congelada. Es tan poderosa que el hinduismo la considera una diosa, la Madre Divina, la Shaktí Universal. Todo depende de ella conforme su grado de actividad: la tendencia del hombre a la verticalidad, la salud del cuerpo, los poderes paranormales, la iluminación interior que lo arrebata de su condición de mamífero humano y lo catapulta en una sola vida a la meta de la evolución sin esperar por el fatalismo de otras eventuales existencias. Según Sivánanda "ningún samádhi es posible sin despertar la kundaliní". Eso es lo mismo que declarar que los instructores de yoga y de Yôga que están en contra del despertar de la kundaliní, no saben de qué están hablando, no saben lo que es el Yôga y ni ellos ni sus discípulos van a alcanzar la meta del Yôga. La energía de la kundaliní responde muy fácilmente a los estímulos. Despertarla es fácil. Un ejercicio respiratorio que aumente la tasa de comburente es suficiente para inflamar su poder. Un bíja mantra correctamente vocalizado, es capaz de moverla. Un ásana que trabaje la base de la columna la posiciona para la subida por la médula. Una práctica de maithuna puede deflagrarla. Basta combinar los ejercicios adecuados y practicarlos con regularidad. Ya que despertar la kundaliní no es difícil, no hay que meterse con ella mientras no se tenga un Maestro. Y cuando se lo encuentra, no se debe atizarla sin su autorización. Difícil es conducirla con disciplina, ética y madurez. Freud y Reich intentaron domarla con fines terapéuticos. Freud la llamó libido. Reich la denominó orgonio. Como ninguno de los dos poseía la Iniciación de un Maestro en esos misterios, ambos fracasaron y dejaron a la posteridad una herencia meramente académica de teorías sobre el asunto, sin grandes resultados prácticos. El Yôga tántrico va hasta el fondo en este trabajo, elevando la kundaliní desde la base de la columna hasta lo alto de la cabeza, a través de los chakras, activándolos poderosamente, despertando los siddhis y produciendo la eclosión del samádhi.

—Quiero alcanzar el samádhi, la iluminación, la identificación del hombre con Dios, ver a Dios cara a cara...

—Pare, por favor. Si se va a volver loco, no le enseño nada más.

—Disculpe. Fue una leve recaída Vêdánta. Estoy dispuesto a reestructurar mis conceptos. ¿Cómo entiende el SwáSthya Yôga el samádhi?

—Samádhi es el estado de hiperconsciencia, de megalucidez, que proporciona el autoconocimiento, así como el conocimiento del Universo. Los practicantes de otros tipos de Yôga consideran el samádhi como algo inalcanzable, digno sólo de los grandes Maestros. Algo que los simples mortales no deben ni siquiera desear, so pena de ser considerados pretenciosos. Y quien lo alcanza, ¡debe negarlo públicamente para evitar el escarnio de los demás yôgis! ¡Cuánta estupidez! ¡Cuánta distorsión! Si la meta del Yôga es el samádhi, todos los que lo practican deben alcanzar ese estado de magalucidez. El sabîja samádhi, o samádhi con simiente, es un estado de conciencia que puede ser traducido como pre iluminación y está al alcance de cualquier practicante saludable y disciplinado, que haya pasado por todos los estadios anteriores y permanecido en cada uno de ellos el tiempo prescrito por su Maestro. No hay peligro ni misticismo alguno. Es sólo un estado de conciencia. El nirbîja samádhi[16] es el estadio final, en que el practicante alcanza la meta del Yôga, el coronamiento de la evolución del ser humano. No hay cómo describirlo. Se cuenta que, cuando los discípulos del iluminado Rámakrishna le pedían que explicara lo que era el samádhi, el Maestro simplemente entraba en samádhi. Acepte, apenas, que el fenómeno es un estado de conciencia que está muchas dimensiones por encima de la mente y, por eso, es imposible comprenderlo con ayuda de los mecanismos mentales, la lógica o la cultura. Esas herramientas sólo serán útiles des-

---

[16] Si el lector desea esclarecimientos sobre los términos sánscritos, le recomendamos que consulte el Glosario del libro **Yôga Avanzado**. Para la pronunciación, escuche el CD **Sánscrito - Entrenamiento de Pronunciación**, grabado en la India. Para más conocimientos, lo ideal es estudiar los videos del *Curso Básico de Yôga*.

pués que el fenómeno haya sido experimentado, para conceptualizarlo. Esto basta por ahora.

—Usted dijo que una práctica de maithuna puede deflagrar la kundaliní. Me gustaría saber cómo explica su Yôga ese tema.

—¿"Mi" Yôga?

—¡El **nuestro**! El SwáSthya Yôga, el Yôga preclásico, pre védico, pre ario.

—¿Se acuerda de lo que le enseñé sobre bhúta shuddhi? Una vez obtenido el grado deseado de purificación, siempre cultivando la práctica del ashtánga sádhana, llegamos a la parte más fascinante del currículum tántrico: la alquimia sexual. Evidentemente, ninguna obra enseña las técnicas del maithuna, pues pertenecen a la tradición llamada gupta vidyá o ciencia secreta. Lo que se encuentra en los libros son informaciones falsas y fantasiosas para engañar a los curiosos. Es preciso procurar un Maestro auténtico que acepte transmitir personalmente ese conocimiento. Los pocos instructores que de hecho conocen tales técnicas, también evitan enseñarlas, ya que la mayor parte de las personas no tiene madurez ni sensibilidad suficientes para merecer esa Iniciación. Además, están también las trabas culturales y no fueron pocos los Maestros cuyos discípulos, en esa etapa, sintiendo las perlas bajo sus pies "se dieron vuelta y los despedazaron" (Mateo, 7:6). Sin embargo, el maithuna es el medio más poderoso y eficiente para atizar a la serpiente ígnea. Según ese proceso tántrico, tenemos en la región genital una usina nuclear a nuestra disposición. Podemos dejarla adormecida como hacen los monjes y los beatos de casi todas las religiones. Podemos simplemente usarla y desperdiciarla bajo el impulso ciego del instinto, como hacen todos los animales, inclusive el animal hombre. O podemos cultivarla, disfrutando de un placer mucho mayor e incluso canalizando esa fuerza descomunal hacia donde queramos: a un mejor rendimiento en los deportes, en los estudios, en el trabajo, en el arte y en el objetivo principal de esa práctica: el autoconocimiento generado por el despertar de la kundaliní y por la eclosión del samádhi. Normalmente podríamos decir que, en relación con el sexo, no hay término medio: o se usa o no se usa. El Tantra nos ofrece una tercera opción: domesticarlo y pasar de esclavo a señor de ese poderoso instinto. Usarlo, sí, y hasta más intensamente, pero de acuerdo con ciertas técnicas de reeducación y aprovechamiento de la fuerza generada. Para utilizarla, sólo hay que bombear más o menos presión en la caldera termonuclear que todos poseemos en el vientre. Luego, ir liberando el vapor poco a poco para que siempre haya alta presión en la usina.

—¡Quiero saber más!

—Primero lea mis libros *Tantra, la sexualidad sacralizada* y *Alternativas de relaciones afectivas*.

—Me acaba de decir que los libros no enseñan...

—Los míos tampoco transmiten los conocimientos secretos. Pero le darán una base cultural y una reeducación, sin las cuales no tengo cómo seguir preparándolo. Y por hoy, suficiente. Fue nuestra clase más larga.

—¿Clase? ¡Clase! ¿Eso quiere decir que ya fui aceptado como discípulo[17]?

—Vaya a su casa...

[17] Más esclarecimientos sobre el concepto de discípulo, en la nota del capítulo VI, al final del libro. Sobre las diferencias entre instructor, profesor y Maestro, lea la nota del capítulo III.

VII

REENCARNACIÓN

Era un día atareado. Después de atender una cantidad inhumana de llamadas telefónicas que no me dejaban escribir mis libros ni responder mis cartas, vi que el día había pasado y yo no había hecho nada concreto. Tenía que revisar el libro del Prof. Joris, el libro del Prof. Locatelli, el libro de la Instructora Anahí y los míos propios, pues tengo cinco libros nuevos para editar este año y otros para reedición, pero sólo permanecí en el teléfono. Ya estaba medio irritado con eso; después de todo, un Maestro de Yôga también tiene derecho. Esa imagen endulzada de Maestro es pura fantasía. Comparado con los santos hombres y los iluminados que conocí en la India, soy un terrón de azúcar.

En eso, un alumno antiguo y muy querido me dice: "Maestro, quiero darle las gracias. *La Yôga* hizo de mí otro hombre. Sólo no consigo hacer la *postura del loto.*"

Llamo a su instructora a mi sala para amonestarla. No es posible que un practicante con más de cinco **minutos** en nuestra institución todavía no sepa que no es *la* Yoga sino *el* Yôga. ¡Y este alumno lleva cinco años con nosotros! Además, no usamos la terminología *"postura"* sino *posición*. Tampoco traducimos los nombres de las técnicas. Jamás llamaríamos al padmásana "posición del loto". Eso es cosa de "la yoga" occidentalizada. ¿Cómo es que un alumno nuestro, tan antiguo, aún no aprendió y continúa manifestando la influencia de otra escuela? ¿Será que la instructora en cuestión no aplica el control al final de cada clase, que consiste en una pregunta para obtener *feed-back*? ¿Será que no corrige los tests mensuales? ¿Será que ese alumno ha conseguido escabullirse de los tests y la instructora no se dio cuenta?

Sin embargo, al llamarle la atención, en lugar de reconocer su falta, disculparse y decir que se esforzará por no equivocarse de nuevo, como lo haría la mayoría de los instructores de sexo masculino, ella se defiende, se siente ofendida y llora. Mire qué situación embarazosa: somos de estirpe tántrica, eso significa que nuestro linaje es **matriarcal**, pero irónicamente, nos vemos forzados a admitir que preferimos trabajar con hombres. Inclusive nuestras Director**as** prefieren formar equipos de instructores hombres. ¿Nunca vamos a conseguir que las mujeres brasileñas sean tan fuertes y líderes como lo fueron las de la cultura en que tuvo origen el Yôga?

Cuando todavía estaba con la instructora que se deshacía en lágrimas, Alexandre, el siempre esforzado Ale, me llama por el teléfono interno:

—Maestro, el DeRosito está aquí abajo. Tiene concertada una cita con usted, ahora. ¿Puedo hacerlo subir?

—Sí. Nosotros ya terminamos. Nuestra colega está descendiendo.

Se cruzan los dos en mi puerta.

—¡SwáSthya! —me dice el joven, un tanto embarazado al ver a la instructora llorando.

—¡SwáSthya! —le respondo, esta vez secamente.

—Maestro DeRose, debe haber sido muy duro con esa pobre chica...

—Eso no es asunto suyo.

—Usted me aceptó como discípulo, ¿no?

—No sé de dónde sacó esa idea.

—En nuestra despedida me dijo que esa había sido nuestra clase más larga. ¡Dijo *clase*! Entonces, ya estoy recibiendo clases.

—Fue la fuerza de la expresión.

—Para mí fue una emoción y una honra. Al fin de cuentas, tengo como mi Maestro a mí mismo.

—Eso me está pareciendo levemente arrogante.

—No es nada de eso. Cambiando de tema: ¿se dio cuenta de que hoy estamos con los papeles trocados? Usted está duro y yo estoy de buen humor.

—Es verdad. ¿Qué pasó?

—Antes de hacer una incursión más aquí en mi futuro estuve con un amigo espiritualista, de otra rama de yoga, de la década del sesenta, para decirle que no volveré a practicar con él esa modalidad, conforme le había prometido que haría. Ese colega aprovechó que yo me estaba apartando y me dijo un montón de cosas horribles que siempre había querido decirme, pero se contenía para no perder el amigo. Fue grosero, me insultó, me acusó de ser tántrico, como si eso fuese un defecto y no una cualidad; me acusó de deshonestidad de propósitos, de estar

85

deturpando el Yôga y unas cuantas ofensas más. Me quedé muy triste, pues no comprendí la razón de tanto odio, sólo porque nos dedicábamos a tipos diferentes de Yôga. Al retornar al año 2002, no resistí y fui a buscarlo. Quería saber si aún estaba vivo y cómo pensaba ahora. Aunque me presenté, tal como hice con usted, él no creyó que fuese yo mismo a los dieciocho años de edad, aquí en el futuro.

—Yo tampoco lo creí. Sólo me fui convenciendo de a poco, a medida que reconocía en usted ciertas locuras que eran sólo mías.

—¡Ah! ¿Sí?

—Sí.

—Bueno, él no creyó que yo fuese yo, y pensó que yo era su hijo, mejor dicho, mi hijo. En fin...

—¿Y entonces?

—Entonces, en primer lugar, él tenía mi edad, así que hoy debería tener su edad.

—Es cierto.

—¡Eh, pero al lado de él, usted está intacto! Quiero decir, para su edad... O sea, no fue eso lo que quise decir...

—Está bien, ya entendí. ¿Y él, cómo estaba?

—Acabado. Viejo. Senil. Abuelo.

—Eh, más despacio. También yo soy abuelo. En breve, bisabuelo.

—Sí, pero no parece. Usted vive rodeado de gente joven y los chicos se sienten muy bien conversando y conviviendo con usted, como si fuesen de la misma edad. Hasta escuché a unas chicas allá abajo haciendo unos comentarios de que...

—¡Muchacho! ¿Anduvo aspirando alguna cosa?

—Anduve aspirando oxígeno. Hice una práctica un poco exagerada de bhastriká y me hiperventilé demás. Estoy lleno de oxígeno en el cerebro. Por eso estoy un poquito eufórico. Aplico eso a mis alumnos deprimidos y quedan óptimos. Hoy me encontraba medio deprimido por las cosas que me dijo aquel amigo mío, entonces hice bastante pránáyáma acelerado. Me parece que exageré.

—Pero continúe su historia. Quiero saber lo que conversaron.

—Él, ahora, tenía otra opinión completamente diferente. Me dijo que yo debería estar muy orgulloso de ser su hijo, que usted no era una persona común y que era reencarnación de un Maestro drávida de cuatro mil años atrás. ¡Increíble lo que pueden hacer cuarenta años!

—Atención: nosotros no somos reencarnacionistas.

—Ya sé, ya sé. Pero escuche el resto. Ese amigo mío dijo que participó de un ritual en una sociedad secreta y ahí descubrió por qué el coronel nos persigue: ¡Él es la reencarnación de un invasor ario! ¿No es lógico? Fíjese: coronel, reencarnación de un guerrero ario; yôgin tántrico, reencarnación de un Maestro drávida.

—Usted tiene prohibido respirar. Haga ya mismo un kêvala kúmbhaka[18]. Quiero que se pre intoxique de anhídrido carbónico para que pare con esa euforia loca.

—¿Pero qué pasa?

—Ni me prestó atención cuando le dije que no somos reencarnacionistas.

—¿Usted dijo eso?

---

[18] **Kêvala kúmbhaka**: retención del aliento. Pátañjali cita este respiratorio en su obra clásica *Yôga Sútra*, escrita hace más de dos mil años. Consiste en retener el aire en cualquier fase de la respiración, es decir, sin haber inspirado o exhalado previamente con la intención de retener después. El practicante debe retener el mayor tiempo posible, sin exageración, progresivamente.

—Lo dije.

—¿Por qué?

—¿Por qué dije eso?

—No. ¿Por qué no somos reencarnacionistas?

—Porque en la época en que surgió el Yôga ancestral todavía no existían las teorías reencarnacionistas.

—¿Sólo por eso?

—¿No basta?

—Pero usted sabe que existe la reencarnación.

—Yo no sé nada.

—Sabe, sí. ¿No tiene recuerdos muy nítidos de otras vidas? ¿Como usted mismo define, *de otros ropajes y otros parajes?*

—Los recuerdos no prueban nada. Puedo estar captando ondas "hertzianas" del inconsciente colectivo y asumir como míos recuerdos de otros, que estén simplemente almacenados en el registro akáshico. Además, cualquier perturbado mental puede tener recuerdos mucho más nítidos y mucho más ricos que los míos, y se trata sólo de un desequilibrado.

—¿Usted no practica la proyección astral?

—Nunca declaré eso.

—Si yo lo hago, usted lo hace.

—¿Y con eso, qué?

—Que cuando estamos fuera del cuerpo asumimos que no somos el cuerpo y que podemos existir, pensar, actuar y transitar independientemente de él, hasta con más facilidad.

—Eso no prueba nada.

—¿Cómo que no?

—La proyección puede ser un fenómeno que dependa de nuestras neuronas. Si ellas mueren, el fenómeno puede cesar.

—Pero ¿y los seres que vemos cuando estamos en el astral y que ya murieron?

—Pueden ser símbolos oníricos para establecer un diálogo con nosotros mismos, así como usted puede ser sólo una experiencia onírica para mí en este justo momento. Tal vez usted ni exista.

—*Legorne.* Su explicación es convincente. Voy a pensar en eso.

—¿Qué dijo?

—Que voy a pensar...

—Antes.

—Legorne.

—¿Qué es eso, que ya no me acuerdo?

—¡Ah! *Legorne* es una variación más moderna de "legal". Es que legal ya está muy gastado en 1962. Ya no lo usamos más. Ahora decimos *legorne*.

—Entonces, *legorne*. En la próxima clase, hablaremos de otro tema. De reencarnación no me interesa hablar.

VIII

EL RECONOCIMIENTO DEL IMPERIO ROMANO

Esta vez es Fernanda Neis, mi dedicadísima compañera, quien introduce al joven yôgin. Nos saludamos rápidamente. Él no pierde tiempo y dispara:

—¿Por qué una enseñanza como el SwáSthya Yôga no está más difundida? Sabemos que en algunos países está creciendo y tornándose relevante, pero en otros aún es poco conocido. ¿Cómo puede ser que un método tan fuerte, tan lindo y tan auténtico, no sea más famoso? ¿Por qué su codificador[19] no es más reconocido en su país?

—Primeramente, porque nadie es profeta en su pro-

---

[19] **Codificar:** según el *Diccionario Houaiss*, significa reunir en una sola obra textos, documentos, extractos provenientes de diversas fuentes; recopilar, compilar. No sé por qué, casi todos los periodistas que se refieren a la codificación del SwáSthya Yôga escriben que yo soy su

pia tierra. Pero hay otros factores. Somos latinoamericanos y tenemos muy baja la autoestima. Para que algo sea
bueno, tiene que venir de afuera. En los anuncios publici-
tarios hacemos alarde de que es un *producto importado*,
como si eso bastase por sí solo para que sea mejor. Por
otro lado, el mismo fenómeno cultural ocurre de afuera
hacia adentro, o sea, los que se titulan Primer Mundo y a
nosotros nos llaman Tercer Mundo, también alimentan
ese tipo de discriminación.

—Pero si tenemos valor, seremos reconocidos.

—Había un filósofo brasileño, fallecido en la década
del 80, que era un verdadero genio. Su nombre, Huberto
Rohden. Cuando joven, vivió en Alemania y en esa época escribió un libro de filosofía en impecable alemán. En-
vió la obra a un editor que la aceptó *incontinenti*. Mandó
llamar al autor para firmar contrato de edición. Pero en
cuanto Rohden abrió la boca, el editor se dio cuenta de que
se trataba de un brasileño y se echó atrás, rehusándose a
publicar el libro. "De brasileños nosotros no compramos
cultura. Sólo compramos café", dijo el preconceptuoso
editor. Décadas después, me contacté con una agente literaria para que representara mis libros en Europa y ella,
sin ver las obras, tuvo el desplante de declarar: "No acepto libros que fueron escritos originalmente en una lengua
terciaria". *Lengua terciaria* era el portugués, la mejor lengua
literaria del mundo. Eso nos hace pensar. Prácticamente todo
lo que en Occidente conocemos e incorporamos en nues-

"decodificador"... Conforme el citado *Diccionario Houaiss*, decodificar
es lo mismo que descodificar, o sea, ¡lo opuesto a codificar! A causa de
esa confusión, actualmente, en vez de *codificación*, prefiero usar el término *sistematización*. Si desea más aclaraciones sobre lo que es una
codificación, lea la nota del capítulo VIII, al final de este libro.

tro pasado, está restringido a la cultura romana. El derecho que utilizamos es el Derecho Romano, la lengua muerta de referencia es el latín, y así con todo. Hasta la cultura griega llegó a nosotros a través de los romanos, que colonizaron a Grecia y la anexaron a su Imperio. El Cristianismo llegó a nosotros a través del Imperio Romano que estaba allá en Jerusalén cuando todo aconteció y, progresivamente, absorbió sus propuestas. Todo lo que era incorporado o aceptado por el Imperio Romano pasaba a "existir" y tenía derecho a ser perpetuado. Lo que quedase restringido a otras culturas estaba destinado a que el resto de la civilización lo ignorase y fuese condenado al ostracismo por la Historia. ¡Cuántos descubrimientos cruciales para la Humanidad que se dieron entre los babilónicos, sumerios, etruscos, drávidas, están simplemente perdidos, sólo porque no fueron escritos en latín!

—Comprendo adonde quiere llegar.

—Actualmente, nos limitamos a los registros en inglés. Lo que conocemos de Egipto o de la India es porque fue escrito o traducido originalmente al inglés. Sólo conocemos el *Káma Sútra* porque el inglés Richard Burton lo tradujo a su lengua. Sólo conocemos los *Tantras* porque el magistrado británico Sir John Woodroffe los tradujo al inglés. El *Bhagavad Gítá*, traducido en 1784 por Charles Wilkins, es uno de los muchos textos que se tornaron más populares en la propia India después de ser pasados al idioma británico. Así ocurrió con todas las demás escrituras hindúes vertidas al inglés: los *Védas*, el *Yôga Sútra*, etc. A comienzos del siglo XX, había un Maestro llamado Ramana Maharishi[20]. Nunca nadie había oído

---

[20] **Ramana Maharishi** es el Maestro de Jñána Yôga que falleció a comienzos del siglo XX. No lo confunda con el Maharishi Mahesh

hablar de él, aunque fuese un gran sabio. Y hubiera pasado por la tierra sin pena ni gloria, sin que jamás la historia registrase su existencia o el valor de su enseñanza, si un anglosajón, Paul Brunton, no hubiese visitado un día su ashram y escrito sobre él. Ese es el caso del curare, que los indios brasileños usaron durante milenios para pescar y que en la segunda mitad del siglo XX fue descubierto por la literatura en inglés, pasando a ser adoptado en todo el mundo como anestésico en las grandes cirugías. Ese también es el caso de los bacteriófagos que los soviéticos venían utilizando hace casi un siglo en lugar de los antibióticos, con mucha más eficiencia y menos inconvenientes, ¡pero nadie se enteraba porque la literatura no estaba escrita en inglés!

—Y, sí. "Si no está escrito en inglés, no es ciencia", como dicen los arrogantes académicos del llamado Primer Mundo.

—La cuestión no es tan simple. Existe toda una barrera cultural prácticamente infranqueable para las ideas que surgen fuera de las fronteras consideradas civilizadas. Además, ellos tampoco reconocen el hecho histórico de que el primero en conseguir el vuelo en un aeroplano más pesado que el aire fue el brasileño Santos Dumont, e insisten en la falsedad de que fueron los hermanos Wright, para quedarse con los lauros históricos. Películas de la época prueban que el aparato de ellos no venció la fuerza de gravedad, no decoló, pero fue impulsado por una especie de catapulta y después planeó con el auxilio de un motor. De mentiras históricas, la Historia oficial está llena.

Yôgi, que vivió cerca de medio siglo más tarde, fue el Maestro de los Beatles y hoy tiene una Universidad de Meditación Trascendental en los Estados Unidos.

Quien inventó la máquina de escribir fue un sacerdote de Paraíba, Francisco João de Azevedo Júnior. En 1861 la máquina ya estaba en la Exposición Agrícola e Industrial de Pernambuco. Sin embargo, en 1867, Christopher Latham Sholes pasó a la Historia como su inventor. Con el telégrafo sin hilos fue lo mismo.

—¿Usted tuvo problemas de aceptación?

—Tuve en el pasado, ya no los tengo más. Todo esto es sólo una discusión académica, pues por mi parte no tengo más que reclamar. Actualmente estoy muy satisfecho con la receptividad del público, de las Universidades y de la Prensa. Es claro que una que otra vez alguien fastidia, pero puedo considerarme mucho más aceptado que los demás que presentaron propuestas revolucionarias. ¡Estoy mucho mejor que Giordano Bruno o Galileo!

En nuestro encuentro siguiente, mi joven amigo me trajo un libro. Era una edición extremadamente bien elaborada, de tapa dura y de unas ochocientas páginas. Leí el título: **The SwáSthya Yôga in the last century**.

—¿Qué libro es este?

—Lo traje del futuro. Pensé que le gustaría saber que su obra no se perdió y que se desarrollará mucho en el siglo XXII, gracias a la dedicación y compromiso de sus discípulos actuales. Observe el cuadro de la Cronología Histórica. Está modificado. Consta que quien propuso esa alteración fue un discípulo directo suyo, autor de muchos libros y que contribuyó bastante al registro histórico de su trabajo, un cierto Prof. Joris Marengo. ¿Lo conoce?

Pensé que estaba soñando. ¡Pero el libro estaba allí delante! En fin, ya que hay tantas cosas entre el cielo y la tierra con las cuales ni sueña nuestra vana filosofía, le agradecí la gentileza y conversamos amenamente antes de despedirnos.

IX

NUESTRA SAGA

—Usted no puede quejarse. Su nombre cada vez es más respetado. Y, por lo que estoy observando, su vida es muy buena, plena de reconocimiento; más de cinco mil profesores formados por usted, leales y que lo quieren...

—Realmente. Ya era tiempo. Pero usted sabe que no fue siempre así.

—Sí. Pero yo sólo conozco la historia hasta 1962, que es mi presente. Usted es el futuro. Me gustaría saber lo que me aguarda.

—Entonces, prepárese. Abrirá su primera Escuela de Yôga, en Río de Janeiro. Como lo hice yo, alienado de todo, incluso sin considerar el hecho de que estábamos entrando en la dictadura militar. ¿Ese es un buen momento para abrir una Escuela de Yôga?

—Yo leí acerca de la dictadura. Estaba yendo todo tan bien... La economía estaba en crecimiento, la capital había sido trasladada a Brasilia, la ciudad más moderna del mundo, el Brasil comenzaba a fabricar sus primeros automóviles... Es cierto que el Dauphine, decían, se vendía con una red para colocar debajo del auto a fin de recoger las piezas que iban cayendo cuando andaba; pero el Aero-Willis era un auto de líneas audaces.

—No nos dispersemos. El tema es el golpe militar y la introducción de la dictadura en 1964.

—OK, pero ¿cómo fue que la dictadura perjudicó nuestro trabajo con el Yôga?

—¿Usted conoce a un coronel que enseña Yôga, o en realidad, "yoga", como él pronuncia?

—Lo conozco. Dos años después de comenzar a enseñar, descubrí que era prácticamente vecino de un coronel que había escrito un libro sobre "yoga". Pensé que eso sólo podía ser una señal. El mes pasado fui a conversar con él y nos hicimos amigos. Me hizo muchos elogios y me invitó a hacer demostraciones en las conferencias que va a dar. Es "un dulce", una persona muy humilde y espiritualizada. Esa fue mi impresión. ¿Por qué me lo pregunta?

—Porque él no gusta de usted. Todo eso que me acaba de describir es mera estrategia de quien tiene mucha experiencia en controlar al ser humano. Primero, como oficial del ejército, aprendió a ejercer control sobre la tropa. Después, como profesor, desarrolló la técnica de dominar grupos de estudiantes. Recuerde que usted es un adolescente y él ya tiene casi cincuenta años de edad. De aquí a dos años, cuando usted abra su primera Escuela de Yôga, el coronel se va a poner celoso por su éxito y la máscara se le caerá. Entonces verá que se hace pasar por una persona humilde, buena y espiritualizada para que los otros bajen la guardia. Y entonces él ataca. Es una buena estrategia. Nadie cree que él sea capaz de actitudes mezquinas o de palabras mentirosas. Luego empezará a difamarlo a usted y todos le creerán. Se pondrá a perseguirlo y nadie tendrá el coraje de defenderlo, pues estaremos en una dictadura militar y él es un coronel.

—¡Eso es increíble! ¿No será que usted hizo, o sea, que yo haré, sin querer, alguna cosa muy grave que lo ofenderá?

—Es posible que sí. Sin embargo, ¿eso, por más grave que fuera, justificaría que un profesor de yoga persiguiese y difamase a otro profesor de Yôga? ¿Que empezase a alimentar un resentimiento tan grande y que ese odio no se extinguiese durante cuatro décadas? ¿Y que usase su poder de coronel en una dictadura militar para perjudicar a un joven instructor apenas por no compartir sus ideas, por seguir otro tipo de Yôga?

—¿Yo voy a pasar por eso?

—Sí.

—¿No tengo cómo evitarlo? Tal vez con su experiencia yo podría eludir esos conflictos.

—Espero que sí. Sin embargo, el karma prepara situaciones interesantes. Llegado el momento, tratamos de adaptarnos, de manejar cada situación, pero al final todo termina igual. Medité mucho sobre esto y la conclusión a la que llegué fue que, hiciera lo que hiciese, el coronel siempre estaría molesto, pues la cuestión es mucho más profunda. Todo tuvo origen hace tres mil quinientos años, en el marco de una confrontación étnica sangrienta ocurrida entre drávidas y arios. Aproximadamente en 1500 a.C., las últimas olas de invasores arios ocuparon el territorio habitado por los drávidas y destruyeron su civilización, que era más avanzada en todo, ciencias, artes, filosofía, menos en la vocación guerrera. Por más que algunos historiadores contemporáneos quieran agradar a los indios actuales, que son descendientes de los arios, y afirmen que la invasión puede haber sido pacífica, la Historia está ahí para desmentirlos. Siempre que una cultura guerrera resuelve invadir el territorio de otra cultura menos afecta al arte de la guerra, el menos aguerrido es dominado, colonizado, explotado, esclavizado. Su etnia y su cultura son menospreciadas, los individuos son tratados con desprecio y discriminación, pierden derechos, pierden libertad, y los choques armados se tornan inevitables. Los drávidas fueron casi exterminados por los arios. Algunos huyeron hacia el sur de la India, donde actualmente constituyen la etnia tamil, que aún lucha por sus derechos. Otros, que permanecieron en el norte, fueron dominados y a lo largo de los siglos se produjo una discreta fusión racial, así como un sincretismo de las dos culturas, que pasó a denominarse hinduismo. Pero el profundo dolor de la invasión, la "limpieza étnica", los estupros y torturas que siempre acompañan las guerras y las invasiones, todo eso quedó arraigado en el inconsciente colectivo y ejerce una influencia inexorable sobre los que hoy profesan un Yôga de tradiciones dravídicas o de tradiciones arias.

—Disculpe, no entendí. Nosotros, brasileños, no somos drávidas ni arios. ¿Cómo podemos estar influidos por los registros de resentimientos dejados por esos dos pueblos en el inconsciente colectivo?

—Desde el momento en que adoptamos este o aquel tipo de Yôga, queramos o no, estamos entrando en sintonía con una determinada longitud de onda en el inconsciente colectivo. Si recibimos Iniciación Tántrica, sintonizamos con los drávidas. Si ingresamos en la línea Brahmáchárya, nos conectamos con sus enemigos, los arios. A partir de ahí, nuestros juicios empiezan a estar influidos por esas dos poderosas egrégoras. Si usted y yo practicamos Yôga, que significa *unión*, pero somos de dos corrientes antagónicas, pasaremos a ser enemigos, justamente a causa del Yôga, ¡que significa *unión*! Parece incongruente, pero es así como funciona.

—Quiere decir que probablemente ni el coronel sabrá por qué va a actuar de esa forma durante más de cuarenta años.

—Sin duda. Él podrá incluso racionalizar algún motivo, pero será meramente un pretexto elaborado por el consciente para justificar alguna actitud mezquina perpetrada por el inconsciente, ese enorme niño mimado sin ética alguna.

—¿Y yo nunca intentaré una conciliación?

—Sí, varias veces, pero no servirá de nada. El coronel parecerá un disco rayado, repitiendo siempre lo mismo durante dos décadas de dictadura: "Voy a hacer que lo lleven preso, voy a hacer que lo lleven preso, voy a hacer que lo lleven preso".

—¿Y va a conseguir mandarme a la cárcel?

—No. Pero eso es secundario. Después de repetir eso durante diez años, sus aliados empezarán a agregar que usted **ya había estado** preso. Al fin y al cabo, no podrían admitir que su líder mintiese. Entonces, era mejor que fuese verdad, aunque no hubiera sido por él.

—¿Y con tanto poder en las manos nunca conseguirá realizar ese intento siniestro? ¿O sea, nunca lo consiguió?

—Una vez lo intentará. Usted será llamado a prestar declaración en el extinto DOPS, el correspondiente carioca del DOI-CODI de São Paulo. Ciertamente, usted ya estará siendo seguido y observado hace mucho tiempo y si intenta huir será fácilmente conducido a la fuerza, pero es más discreto que vaya por sus propios medios. Cuando llegue allá van a llevarlo a una sala que le recordará las películas de Hollywood. Paredes vacías, sin ventanas, iluminación proveniente de una única fuente que pende de un hilo roto. En un rincón, una sugestiva tina llena de agua. Del otro lado un *pau-de-arara**, excelente decoración para ese lúgubre lugar. Un *good guy* y un *bad guy*, ambos truculentos. Por las rendijas de las puertas se filtran deliberadamente sonidos de personas que son torturadas, gritando y pidiendo que paren por el amor de Dios. En ese clima comenzarán a interrogarlo. Harán toda suerte de preguntas sin importancia y sin nexo. En medio de ellas, algunas que realmente interesan para incriminarlo en algo.

—¿Y cómo es que voy a salir?

—Muy bien. Usted es tan bobo, está tan convencido de que "el bien vencerá", que no se dejará impresionar.

—¿Por qué no dice que será debido al autocontrol proporcionado por la práctica del Yôga?

—Porque creo que será realmente gracias a su ingenuidad. Usted es tan absurdamente inocente que, por más que quiera declarar tonterías, estas sólo contribuirán a demostrar hasta qué punto no es culpable de nada.

—¿Cómo será el interrogatorio? ¿Me van a torturar?

—Sí. Pero será tortura psicológica. Después de algún tiempo de interrogatorio, a todo el mundo se le seca la garganta por el miedo, el estrés, la ansiedad. Sus torturadores comenzarán a beber agua frente a usted para darle sed. Como usted no pedirá para beber, ellos le ofrecerán,

* N.T.: Método de tortura practicado por las fuerzas militares y policiales de Brasil y otros países de América Latina. Consiste en atar juntos y por detrás los pies y las manos del detenido y colgarlo de un palo a fin de mantenerlo inmovilizado y torturarlo.

para poder negar y decirle que sólo recibirá agua si confiesa. Pero cuando le ofrezcan agua usted la rechazará, diciendo que no tiene sed. Eso va a desarmarlos, pues nadie dejó de sentir la garganta seca en aquella situación. ¡Lo que pasa es que usted siempre sintió muy poca sed!

—¿Y entonces?

—Entonces ellos lo van a amenazar de diversas formas, inclusive con una tenaza de castrar becerros.

—En ese momento yo voy a confesar hasta que soy mi nieto.

—No. Va a mantener la calma y acabará enseñando Yôga a los torturadores.

—¡No creo!

—Puede creerlo. Uno de ellos va a comenzar a cansarse; su voz, de tanto gritar, empezará a fallar. Entonces usted le enseñará el simhásana y algunos pránáyámas. Uno va a mirar al otro sin creer en lo que está viendo. A partir de ahí, la conversación cambia de rumbo y al poco tiempo uno de ellos va a salir y usted lo escucha cuchichear con alguien del otro lado de la puerta: "Coronel, el chico *tá* limpio. Tenemos *esperiencia* con esos *subversivo*. No hay de dónde agarrarse para prenderlo". Usted incluso va a escuchar al coronel que gira y sale con rabia, golpeando el piso con los cascos. En seguida, el sargento vuelve y le dice que está libre y se puede ir.

—¡Uf! ¿Y después de eso? Ya sé que sobreviví a esa tempestad, de lo contrario, usted no estaría ahí. ¿Qué más me espera y qué puedo hacer para amenizar mi caminata?

—Durante muchos años siempre supuse que si no me hubiese apartado de los enseñantes de la yoga, si hubiese mantenido relaciones cordiales con ellos, tal vez, conociéndome mejor, no hubieran tenido una imagen tan desvirtuada con respecto a mis propuestas y a mi trabajo.

103

Sin embargo, en algunos años, los dos grupos —el de la Confederación Nacional del **Yôga** y el de la Confederación Nacional de la **Yoga**— comenzarán a realizar encuentros para llegar a un acuerdo a causa de la campaña por la reglamentación profesional (para el Gobierno, Yôga, Yoga, Zen, es todo la misma cosa). En un primer momento, varios profesionales de la yoga admitirán que tienen de mí una imagen totalmente irreal, preconceptuosa y distorsionada por la maledicencia que campea entre ellos. Haremos las paces, seremos amigos. No obstante, en los tiempos que seguirán, ambos lados llegarán a la conclusión de que la convivencia será imposible. Nosotros seguimos un Yôga más antiguo, que se fundamenta en el Niríshwarasámkhya. Ellos siguen una yoga más moderna, de fundamentación Vêdánta cristianizada. Nosotros somos de estirpe Tántrica, dravídica. Ellos son de tradición Brahmáchárya, aria. Nosotros entendemos el Yôga como en los tiempos de Shiva, como arte y filosofía, cuya meta es el autoconocimiento. Ellos entienden la yoga como terapia y misticismo, cuyo objetivo es curarse y recibir beneficios. Nosotros somos profesionales. Ellos son diletantes. El público del SwáSthya es sumamente joven. El de ellos, todo lo contrario. En resumen: no hay diálogo. Concluyendo, no creo que usted pueda hacer nada para evitar las hostilidades. Lo que puede hacer es comenzar más pronto a esforzarse para librarse del lavaje cerebral que recibió al inicio de su carrera, y partir para vencer en la vida menos tarde.

—¿Cómo sería eso?

—Usted va a querer tener un número de alumnos becados superior al número de alumnos que pagan. ¿De qué le servirá eso? Ninguno de ellos será instructor. Ninguno de ellos continuará fiel a su lado. Ninguno de ellos lo defenderá cuando las fuerzas de las tinieblas lo ataquen. Pero no aprenderá la lección. Cuando se mude a Copacabana, instalará **para todos los alumnos** el sistema de contribuciones voluntarias de valor no estipulado. Los alumnos deberán colocar esas contribuciones directamente dentro de un cofrecito en el vestuario. Claro que ellos no van a contribuir correctamente. Se va a encontrar con billetes de un cruzeiro, moneditas, y la mayoría no va a dejar nada. Su supervivencia se deberá a uno que otro que aportará correctamente, y a la venta de incienso que comenzará a producir. Por esa época, si va a comer cada día o no, dependerá de haber podido vender un paquete de incienso o no. Insistirá en esa nueva tentativa unos cuantos años más. Después de eso, empezará a intentar un camino de retorno, rumbo al profesionalismo, pero será una empresa difícil y lenta. Le llevará más de diez años librarse de los paradigmas espiritualistas y "alternativoides" sobre el vil metal.

—¿Y por qué voy a cambiar mi visión sobre el vil metal?

—Es que en la década del 70 irá a la India por primera vez. Allá, en el país que fue la cuna del Yôga y sobre el cual alimentamos tantas fantasías, va a descubrir que la visión de los occidentales sobre el Yôga es ni más ni menos que una caricatura. A partir de entonces, intentará poner un sentido de realidad en su trabajo. Tendrá que cambiar una egrégora, pretensión considerada simplemente imposible. También por eso va a demorar tanto. Espero que estas conversaciones nuestras puedan acelerar el proceso.

—¿Y eso qué tiene que ver con la visión sobre el dinero?

—Es que va a tomar conciencia de que los Maestros de Yôga de la India, los swâmis, los saddhus, en fin, todos lidian muy bien con el dinero. Nadie alimenta allá neurosis de rechazo (o de falso rechazo) con respecto a ese

105

documento que dice cuánto vale el trabajo de cada uno. Muchas veces verá que cuando el dinero cae al piso, su dueño lo levanta y se toca con él la cabeza, en señal de reverencia. Tal como hacían nuestras abuelas cuando el pan caía al piso. Lo recogían y lo besaban como para pedir perdón, ya que el pan representaba el cuerpo de Cristo. Al ser testigo de esa semejanza entre los dos procedimientos, el de los hindúes en relación con el dinero y el de las abuelas con el pan, usted comenzará a interpretar el vil metal desde otra óptica. Dejará de ser vil para tornarse noble. Pero esa es la parte menos importante de su primer viaje a la India. Estar allá solo, poder practicar mucho Yôga a las márgenes del río Ganges y meditar bastante en las laderas de los Himalayas, hará deflagrar una energía interna, para la cual se venía preparando durante, entonces, quince años de magisterio del Yôga.

—¡Quince años de magisterio! Para mí es difícil hasta imaginarlo...

—¿Y cuarenta, entonces?

—Cuarenta años de carrera es más del doble del tiempo que tengo de vida. ¡Es mucho tiempo!

—¿Quiere saber lo que va a ocurrir cuando vuelva de la India?

—Claro.

—Va a volver con la fuerza de Shiva. Entonces, va a iniciar un movimiento nacional de unión en el Yôga. Llamará a esa campaña, Unión Nacional de Yôga, con la sigla Uni-Yôga[21], a fin de dar énfasis a la propuesta de

---

[21] **Yôga** significa *unión*, pero poca gente comprende o cumple ese precepto. En todo el mundo hay mucho ego y escasa unión entre los que deberían dar ejemplo de mayor comprensión. **Unión de Yôga** constituye un pleonasmo mediante el cual alimentamos la esperanza

unión de todos los profesores de todas las líneas de Yôga. ¿Se acuerda de la Uni-Cren que fundó cuando era más joven, impulsado por una vocación conciliatoria? Pues en el futuro será la Uni-Yôga.

—¿Y voy a lograr la conciliación de los instructores de todas las modalidades de Yôga?

—¡Dulce ilusión!

—¿Cómo? ¿Nadie apoyará la iniciativa?

—Mucha gente la apoyará.

—¿Entonces?

—Usted no conoce al ser humano. La apoyarán sólo de palabra. Cuando haya que transformar el verbo en acción, nadie va a hacer nada. Si tienen que desembolsar algo, en ese punto no va a pasar nada. Ahora, imagine este panorama: los enemigos, trabajando en contra, y los aliados no haciendo nada a favor.

—Entonces la idea va a fracasar...

---

de insuflar más unión en el seno de una filosofía perfecta, ejercida por personas imperfectas. Nuestra intención al elaborar la sigla latín-sánscrito **Uni-Yôga** fue la de reforzar la propuesta de cohesión, de integración. Juntamos la partícula Uni (unión, unidad) con la palabra Yôga (unión, integración) y obtuvimos la sigla **Uni-Yôga**, sintetizando el concepto de Unión de Yôga, unión en el Yôga. Ese es uno de los sentidos de la sigla **Uni-Yôga** si la leemos con el significado latino del prefijo *uni*. En sánscrito, *unni* significa liderar, rescatar, erigir, plantar, levantar, exaltar, engrandecer, edificar, construir, montar, extender, avanzar, poner delante, desembarazar, causar, determinar, ayudar, promover. Ahora bien: la vibración de las palabras es mántrica, es decir, tiene un poder inherente al sonido. A partir del momento en que esa sigla pasó a ser usada por nosotros, muchos alumnos y otros instructores comenzaron a congregarse con nosotros. Nuestra entidad empezó a ser cada vez más grande, cada vez mejor, cada vez más fuerte.

—No. Va a resultar bastante bien. La Uni-Yôga no va a poder unir a todos, pues el ser humano es individualista, pero va a unir a mucha gente, tanta gente como nunca se vio en nuestro país en torno del Yôga; y cumplirá a satisfacción su otra misión, la de ayudar a los nuevos instructores en todos los sentidos: técnico, pedagógico, filosófico, ético, administrativo, financiero, etc. Gracias al cumplimiento eficiente de esa propuesta, la Uni-Yôga llegará a ser la mayor y más fuerte institución de Yôga técnico del país y tal vez del mundo. Pero a costa de un cuarto de siglo de mucho trabajo, mucho idealismo, mucho sacrificio personal y mucha inversión.

—Si la propuesta será buena, ¿por qué demonios las personas no le darán apoyo?

—Dicen que las buenas ideas no vencen por sus méritos, sino porque sus opositores van muriendo.

—Y después de eso, ¿qué más me aguarda?

—Introducir el Curso de Formación de Instructores de Yôga en las facultades privadas. Luego, en las Universidades Federales, Estatales y Católicas. Después, dará entrada al primer Proyecto de Ley por la reglamentación de la profesión de profesor de Yôga. Como puede ver, llegará de la India con fuerza total.

—Bien, esta vez todos me apoyarán, pues esos son los dos grandes sueños de los profesionales de Yôga: la introducción del Yôga en las Universidades y la reglamentación de la profesión.

—Al contrario. Esta vez todos se volverán contra usted, por no haber sido ellos los que tomaron esas iniciativas.

—Está bromeando. ¿Todos renunciarán a la realización de los más antiguos anhelos de nuestra clase profesional, sólo por envidia y ego? Los profesores de Yôga no son así.

—Los de Yôga pueden no ser, pero los de "yoga"...

—Y entonces, ¿la reglamentación no contará con el apoyo del conjunto de los instructores?

—No.

—¿Y no será aprobada?

—Inicialmente, no. Pero usted es incansable y lo intentará nuevamente veinte años más tarde.

—Y entonces la aprobarán.

—No sé. Espere para ver.

—Cuénteme cómo fue que vino a São Paulo. Dejar atrás aquella Ciudad Maravillosa, la naturaleza, las playas...

—Ya sé. Las garotas de Ipanema.

—Y, sí. ¿Qué es lo que vio en esta ciudad fría, de concreto?

—São Paulo no es fría. Es la ciudad más acogedora que conocí en mis andanzas por el mundo. Y no es de concreto. Aquí hay un culto al verde como no vi en ninguna parte. La ciudad en sí es linda y las personas son gentiles, cariñosas y solícitas. Yo sólo puedo vivir en un lugar así. Además, aquí valorizan mi trabajo. Río, usted sabe cómo es. Trabajé en Río de 1960 a 1980. En veinte años sólo conseguí tener una salita en Copacabana y la obra no se expandió. En São Paulo, comencé en 1974. En 1980 ya tenía cien veces más instructores formados que en Río, trabajando a mi lado y comprometidos en cuerpo y alma. Entonces, me vine para acá.

—¿Y fue fácil?

—Nada es fácil. Si va a esperar que sea fácil, se quedará sentado en la playa para el resto de la vida.

—¿Llegó y ya se quedó a vivir aquí?

—No. En el '74 vine a dar un curso. Me apasioné por la ciudad y resolví que vendría para acá. Pero no conocía a casi nadie. Entonces, me quedé viviendo en mi auto, un Fusquinha viejo. Durante el día, el autito me llevaba a hacer contactos con practicantes, correspondientes e instructores locales, para ir reuniendo gente. A la noche lo estacionaba en una calle sin salida en los fondos del cementerio de la Av. Dr. Arnaldo y dormía con relativa tranquilidad, pues a nadie le gusta pasar de noche cerca de un cementerio. El auto era pequeño, pero el cuerpo era joven y aguantaba. Por la mañana me iba a un restaurante de comidas rápidas, hacía una higiene sumaria, tomaba el desayuno y partía a la lucha.

—¿Y baño?

—Los primeros días no hubo. Luego, una alumna mencionó el asunto y, sabiendo de mi dificultad, me ofreció su ducha. Fue el mejor baño de mi vida. Después, ella me informó que en la terminal de ómnibus había duchas públicas. A partir de entonces, no me preocupé más.

—¿Eso fue en el '74?

—Sí. Ese año tuve como alumna a una señora, Helena Alonso, que me ayudó mucho. Comencé a dar clases y cursos en varios lugares. Poco a poco fui siendo invitado por los alumnos para pernoctar en la casa, hoy de uno, mañana de otro. Eso me fue llenando de admiración por los paulistas. ¡Qué acogedores son! En 1976 introduje el Curso de Formación de Instructores en la Facultad de Ciencias Biopsíquicas de São Paulo. En 1977 comencé a ser entrevistado todas las semanas en la TV Bandeirantes. En 1978 junté todos mis ahorros de casi dos décadas de trabajo y di el anticipo de una casa. El resto lo pagaría por el sistema de financiación de la Caja Económica Federal.

—¿Y qué ocurrió?

—Yo era forastero, necesitaba el consejo de los habitantes de esta ciudad. Todos me dijeron que la casa pretendida estaba en una excelente ubicación: una calle tranquila con bastante estacionamiento, y en un barrio "bueno". Bueno para vivir, no para abrir una Escuela de Yôga. Yo me había olvidado de que estaba pidiendo opinión a personas que no eran empresarias y mucho menos entendían de nuestro ramo. Una calle tranquila, luego lo aprendí, es la peor opción para instalar una entidad. El nombre de la calle era una tragedia: Calle Profesor Doctor José Marques de la Cruz. Nadie memorizaba ese nombre y nadie sabía dónde quedaba. La gente no lograba llegar allá. Para peor, había inundaciones en aquella zona. En fin, perdí la casa y todo lo que había economizado durante los primeros años de vida. Si no quebré, fue sólo porque soy precavido. No había cerrado la Unidad de Río de Janeiro, y continué en actividad.

—¿Y entonces, volvió para Río?

—No. Un discípulo me propuso abrir otra escuela en la Calle Sampaio Vidal, casi esquina con la Av. Faria Lima. Aquello sí sería una ubicación mejor. Le confié que yo no tenía declaración de rentas que me permitiese alquilar un inmueble, ni fiador en la ciudad de São Paulo. Él me ofreció a su padre como fiador. Sólo que, en ese caso, la casa tenía que quedar a nombre de él. De buena fe, acepté. De 1978 a 1979 arreglamos la casa, la decoramos, hicimos la promoción y el lugar pronto se tornó muy conocido. Era paso obligado de la juventud.

—Finalmente las cosas comenzaron a salir bien.

—Nada bien. Con un año de funcionamiento y mucho éxito, la relación humana entre mi discípulo y yo comenzó a agriarse. Uno de los dos iba a tener que salir de la casa. Adivine quién.

—Él, claro.

—No, pues la casa estaba alquilada a su nombre. Me fui yo. Estaba nuevamente en la calle. Felizmente, otro discípulo me ofreció su centro de Yôga para vivir. Le pregunté cuánto me cobraría, pues me había quedado sin nada. No podía llevarme la pintura de las paredes, los armarios embutidos, los pisos alfombrados o la divulgación que ya había sido realizada. Me dijo que no me cobraría nada y que tener a DeRose ahí le valdría como propaganda. Siempre le estaré agradecido.

—¿Ahora las cosas comenzaron a andar bien?

—Aun no. Económicamente, las cosas no anduvieron nada bien. Acabé por volver a Río, derrotado. Por esa época yo tenía un Chevette. Hoy me parece increíble: cuando hice la mudanza de vuelta para Río, todas mis pertenencias entraron en aquel autito pequeño. Eso fue en 1980.

—¿La Unidad de Río, continuaba funcionando?

—Sí. Era lo que me sostenía. En 1981 nació mi hija Chandra. En 1982 su madre me dejó, por las razones que expuse en el libro **Yôga, Mitos e Verdades**. Ya estaba quebrado y ahora había perdido a mi mujer y mi hijita. Cuando llegué a mi casa no había nadie, ni la cama, ni los armarios, ni la cocina, ni la heladera, y mis cosas estaban desparramadas por el piso. Llamé por teléfono a mi mejor amiga, Eliane Lobato, con quien yo había estado casado anteriormente. Cuando le relaté lo ocurrido me invitó a pasar un tiempo con ella, el marido y las hijas, de quienes yo soy padrino. Ellos se habían mudado a São Paulo por influencia mía. Ahí fui a vivir de favor, en el cuartito de empleada del departamento de una ex esposa. Era tan pequeño que tenía que elegir qué poner adentro: una cama o un armario. Coloqué un colchón en el suelo y un perchero colgado. Diciéndolo así, puede dar la impresión de que fue una mala experiencia. Pero no lo fue. Aquel período constituyó uno de los más felices de mi vida. Yo estaba con mi familia. Fui recibido con mucho amor en el momento en que lo precisé, y los dolores pasados comenzaron a disiparse.

—Volvió con el Chevette para São Paulo con todas sus posesiones otra vez.

—No. No sobró ni el Chevette. Yo se lo había dado a ella. No quise crear problemas. Me resulta muy vulgar la pelea por los bienes cuando las personas se separan. No creo que eso sea hacer papel de bobo. Eso es elegancia, dignidad. Y el karma devuelve. Hoy estoy muy bien en la vida y no puedo decir lo mismo de las personas que me tomaron lo poco que yo tenía.

—¡Qué vida sufrida!

—Sufrida, para nada. Siempre me sentí feliz. Hasta cuando pasaba por un momento de tristeza, después enseguida recobraba la conciencia de la felicidad que era mi vida. La vida sólo es sufrida si uno comienza a tener pena de sí mismo. En caso contrario, todo es experiencia, todo es una oportunidad para aprender cosas nuevas y superar los obstáculos. Se vuelve desafío y resulta estimulante. Hoy, hasta tengo nostalgia de aquellos tiempos.

—Bueno, estaba en la casa de su ex. ¿Y después?

—Al año siguiente conseguí alquilar una casa en la Alameda Jaú 1998.

—¿No era Jaú 2000?

—No. Jaú 2000 era la casa que yo quería comprar, pero que no estaba en venta. Entonces alquilé la casa de al lado para estar cerca de la que yo quería y para ir dando a conocer el lugar. Conseguí, a fuerza de mentalizaciones, que la casa quedara vacía, y comencé la negociación para comprarla. Pero no tenía dinero. Ocurre que la mentalización es algo muy fuerte. La casa estaba en una situación complicada. Pertenecía a dos ex socios, ambos abogados, y cada cual quería quedarse con ella. En medio de esa contienda judicial entre ellos, los dos se divorciaron. Entonces, ahora eran cuatro querellantes. Mientras peleaban unos con los otros, yo negociaba con ellos la compra y ganaba tiempo para ir capitalizándome. Esa situación duró cinco años. En ese lapso intermedio gané unos pesitos que me permitían hacer una oferta. Para evitar que la vendiesen a otra persona antes que yo pudiese capitalizarme, coloqué una placa en la puerta de la casa pretendida, que decía: "Se vende este inmueble, tratar en la casa de al lado". Cuando las personas venían a pedir información, yo les decía: "Ya la vendí".

—¡Qué astucia, realmente!

—Finalmente ellos aceptaron mi propuesta de compra y aquí estoy yo, en Jaú 2000. Después, en los diez años siguientes, fui construyendo esta casa.

—Algo me dice que resumió bastante esa historia.

—¿La de la casa?

—No, toda la historia.

—¿Por qué?

—¿Usted no tiene tres hijos? Porque me contó sólo sobre su hija y, aun así, muy de pasada.

—Así es. No quiero hablar de eso.

—Entonces, hay muchas cosas de las que no habló.

—Sí. Pero un discípulo mío de Portugal, el Prof. Luís Lopes, está escribiendo un libro sobre mi vida, con las cosas que yo no conté. Él está recogiendo testimonios, fotos y documentos. Todavía no sabemos cuál será el nombre del libro. Una sugerencia es **Cosas que el Maestro no dijo**. Vamos a ver.

X

APARIENCIA PERSONAL

Ya me habitué a la presencia de mi locuaz discípulo. Conversar con él pasó a ser, para mí, una verdadera terapia. Escuchar el acento del Río de Janeiro de cuarenta años atrás, que era completamente diferente de la pronunciación *irreverente* de hoy, oír las jergas de antes, con un sabor de Joven Guardia, debatir argumentos que ya no se daban desde hacía décadas... ¡Qué placer!

Allá viene mi *alter ego*, vestido, como siempre, con una remera vieja, pantalón de *jean* maltratado y botas.

—Maestro, le traje este pújá[22] —me dijo extendiendo

---

[22] **Pújá** puede tener varios significados. Ofrenda, honra, retribución de energía o de fuerza interior, son las formas por las cuales nos referimos al pújá en la estirpe Dakshinacharatántrika-Niríshwarasámkhya Yôga. Pero el término puede significar también adorar, rendir culto, venerar, honrar, reverenciar. Así, si uno sigue una corriente

la mano derecha, como manda la tradición, lo que significaba que había leído muy bien nuestro libro **Yôga, Mitos e Verdades**. En su mano había un ejemplar del libro *Rascunhos e Extratos*, que yo escribí en 1960 y que me robó un amigo a quien se lo había prestado. Como en esa época no existía computadora ni fotocopias, ese ejemplar era único.

—Gracias. Voy a retribuir su gentileza. Usted me anda llamando Maestro. ¿Sabe lo que es Maestro?

—Sí. Es aquel que enseña.

—Error. Profesor es aquel que enseña. Maestro es el que interfiere con su vida privada. Si usted no acepta que él interfiera, es porque no es su Maestro.

—Yo quiero realmente que usted sea mi Maestro. Puede interferir.

—Ya es hora de que comience a vestirse mejor. Nosotros somos la tarjeta de presentación del Yôga.

—¡Epa...! ¡Cómo cambió en estos cuarenta años! Usted siempre creyó que los valores internos son los que cuentan. Creía que la apariencia exterior era futilidad, una mera vanidad.

---

de Yôga Vêdánta, el término pújá podrá tener una connotación totalmente diversa de la de una Escuela de Yôga Sámkhya (aun más si es Niríshwarasámkhya). Mientras en el Sámkhya más antiguo, preclásico, pújá tiene un sentido naturalista de sintonización con los arquetipos, en la línea Vêdánta medieval adquiere una interpretación espiritualista y hasta religiosa. El concepto de pújá posee primeramente dos variantes: báhya pújá (externo, expresado con ofrendas materiales) y manasika pújá (interno, manifestado por medio de mentalización y actitud interior). En la práctica regular de Yôga se utiliza más el manasika pújá, reservándose el báhya pújá para circunstancias ceremoniales, sociales y festivas. [Si quiere saber más al respecto, recurra al libro **Yôga Avanzado (SwáSthya Yôga Shástra)**, del mismo autor.]

116

—Como usted dijo: yo **creía**. Ahora yo **sé** que la apariencia exterior refleja lo que hay por dentro. Se puede incluso encontrar un producto inferior en un buen embalaje, pero jamás va a encontrar un producto bueno en un embalaje inferior.

—¿Y qué es lo que le parece que está mal en mí?

—Todo.

—...

—Si usted fuese sólo un estudiante, un muchacho sin mayores responsabilidades, podría andar como quisiese. Pero ahora usted es un instructor de SwáSthya Yôga.

—Por eso mismo. Un yôgin es desapegado. Es un renunciante.

—No confunda yôgin con *sannyasin*. Este último es un renunciante, no el yôgin. Lo que ocurre es que muchos yôgins que se hicieron conocidos en Occidente eran swámis (monjes) o saddhus (ermitaños), que generalmente hacen voto de *sannyasa*. Eso no tiene nada que ver con el Yôga en sí sino con las otras vinculaciones ideológicas que tenían.

—Pero ¿y el tan declamado desapego?

—Le voy a contar un caso verídico. Cierta vez yo estaba en el monasterio del Dr. Sivánanda...

—¿Doctor?

—Sí. Era médico oftalmólogo. ¿Puedo continuar?

—Puede.

—A las nueve de la mañana, todos los días, el Swámi Krishnánanda —un importante filósofo hindú— reunía a los alumnos y visitantes para conversar descontraídamente. Esa era la hora de recibir enseñanzas, de ser retado en público, y también era la hora en que el swámi firmaba cheques y tomaba decisiones administrativas. Al principio me chocó, pero después comprendí que no hay nada

de malo en eso. ¿Por qué una decisión contable no tendría que ver con las grandes cuestiones existenciales? Todo
forma parte.

—No concuerd

—¡EEEEPA!

—Disculpe.

—Los swámis son monjes, generalmente renun-
ciantes. Para simbolizar la renuncia, se rapan la cabeza. Sin embargo, algunos monjes de jerarquía más
elevada cuentan con determinados privilegios y ventajas que no son bien comprendidos por los extranjeros.
Krishnánanda ya estaba medio impaciente con algunos comentarios de espiritualistas occidentales —cues-
tionadores compulsivos— que, inevitablemente,
llegaban a sus oídos cinco minutos después. Cosas de
este tipo: "¿cómo es que un swámi puede ser tan auto-
ritario con sus subordinados?" o "¿cómo es que un
monje que dice ser renunciante puede recibir tantos
privilegios y los otros no?" Un día, un estadounidense
llegó a la reunión con la cabeza rapada, lo que denota
voto de renuncia. Aquello incomodó profundamente
al swámi. Le preguntó: "¿Se rapó la cabeza, eh?" Cuando el Maestro hindú habla con ese tono de voz, nadie
se atreve a responder ni a ni b, pues diga lo que diga
va a recibir un golpe. Al rato, el swámi vuelve a hablar
con él: "¿Con la autorización de quién se rapó?" John
no responde, sólo sonríe con humildad y se curva en
una reverencia apoyando la cabeza en el piso. Un poco
después, el Maestro le pregunta: "¿Renuncia? ¿A qué
renunció?" Él bien sabía que los occidentales inventan
eso de renunciar, pero no renuncian de hecho a lo principal, que es el ego. Finalmente, escuché a Krishnánanda dar la mayor lección de mi vida sobre renuncia:

"La renuncia es como la x de la matemática. Cuando uno encuentra su valor, no necesita usarla más".

—No entendí.

—No quiso entender.

—¿El monje hizo una apología de no la no renuncia?

—No. Sólo hizo una crítica a la actitud pueril, falsa y orgullosa de aquel que declara renunciar, pero sólo renuncia a lo que es fácil. El ego[23] queda intacto. Y enseñó también que cuando uno ya no está más apegado, puede usufructuar de todas las comodidades y privilegios.

—¿En qué se aplica eso a mí?

—Tiene que dejar de vestirse como un mendigo con el pretexto de que es por desapego. Desapego, realmente —lo quiero ver— es cuando tiene una lapicera Mont Blanc y la pierde. O cuando tiene un Mercedes y se lo chocan. Entonces sí, voy a decir que usted es un yôgin desapegado. Ahora, haga el favor de pasar por un peluquero y cortarse esa melena. Después, vaya a comprarse ropa buena. Y no me venga con esa historia de que no tiene dinero, que eso es neurosis de carioca.

—Pero todo eso es ilusión.

—Sólo es ilusión cuando estamos en estado de trascendencia. Cuando estamos sumergidos en el reino de Maya, la ilusión incorpora valores verdaderos.

—Está bien.

—Y recuerde: no sirve un peluquero cualquiera.

—¿Cómo voy a saber si es un buen peluquero?

—Elija el más caro y el más difícil para conseguir turno. A veces es sólo *marketing*, pero a veces es porque es

---

[23] Si desea más aclaraciones sobre la cuestión del ego, lea la nota del capítulo X, al final del libro.

realmente bueno. Vea nuestro caso. Soy el profesional más caro de nuestro rubro porque soy el mejor —le dije con una sonrisa maliciosa, denunciando que había dicho eso sólo para provocar a mi interlocutor. Pero él, sin vacilar, me respondió en tono de complicidad:

—¡Y el más modesto!

EL DESPERTAR

Era una tarde linda. La puesta del sol estaba terminando y todo lo que se veía en el horizonte era un cuadro de Monet. Estaba esperando ansioso la llegada de mi estimado discípulo, pues ahora ya tenía placer en recibirlo y hasta lamentaba su ausencia.

Sentí que alguien tocaba mi hombro, pero estaba absorto en el ocaso y en mis pensamientos. Sin embargo, la persona insistía y me sacudía delicadamente el hombro.

Era mi hija Chandra.

—Papito, tienes que dar una clase ahora.

—¿Ahora? Ahora no puedo, querida. Estoy esperando a un discípulo.

—¿Cómo?

—Estoy esperando... eh... a un discípulo de dieciocho años que viene a conversar conmigo todas las semanas en este horario. Lo habrás visto. Ha estado viniendo desde hace más de dos meses.

—Padre, despierta. No recibes a nadie aquí arriba. Estabas soñando.

Entonces comprendí. Había entrado en meditación, abriendo un canal que ya estaba casi perdido en mis registros de conciencia. Después, me adormecí, y el proceso de recuperación de datos continuó en forma de sueño. Pero no había sido un sueño cualquiera. Había sido una experiencia muy concreta, inolvidable y que habrá de modificar expresivamente mi vida y mi trabajo. ¡Para mejor, claro! Aprendí mucho conmigo...

Miré el reloj. Eran las 18:51.

Abracé a mi hijita, hoy instructora de SwáSthya Yôga, amiga y compañera leal que nunca me decepcionó, y descendimos las escaleras de nuestra linda casa para que yo diera mi clase de los martes[24] a los profesores de Yôga de São Paulo.

— **fin** —

[24] La clase se transmite en vivo y en tiempo real por Internet, todos los martes a las 21, horario del Brasil. Nuestro *website* (**www.uni-yoga.org**) no vende nada. Por lo tanto, esa clase puede ser aprovechada sin cargo. El *site* también permite *free downloads* de catorce libros del Maestro DeRose en portugués y en español, así como de varios CDs con prácticas de Yôga, mantras, relajación, meditación, música, etc. Todo *free*. [La presente información es válida en la fecha en que se agregó esta nota, Día del Yôga, 18 de febrero de 2005.]

NOTAS DE LOS CAPÍTULOS

Regla áurea del magisterio:
decir lo obvio e incluso repetirlo tres veces.
DeRose

Las siguientes notas se mostraron necesarias cuando hicimos las primeras ediciones electrónicas de este libro y algunos lectores solicitaron más aclaraciones, sistemáticamente, sobre determinados temas. Las principales respuestas que les fueron dadas están ahora incorporadas al final del libro, en forma de notas de los capítulos.

NOTA DEL CAPÍTULO I

SWÁSTHYA YÔGA ES EL YÔGA MÁS INTEGRAL QUE EXISTE

SwáSthya, en sánscrito, lengua muerta de la India, significa **autosuficiencia** (swa = su propio). También abarca los significados de *salud, bienestar, confort, satisfacción.* Se pronuncia *"suástia".* En hindi, la lengua más hablada en la India, significa simplemente salud. En ese caso, con la pronunciación hindi, se dice *"suásti".* No permita que la gente poco informada confunda **SwáSthya,** sánscrito, un método antiguo, con *SwáSthya* (*"suásti"*), hindi, que daría una interpretación equivocada, de connotación terapéutica. Consulte al respecto el *Sanskrit-English Dictionary,* de Sir Monier-Williams, el más respetado diccionario de sánscrito.

DEFINICIÓN FORMAL DE NUESTRO YÔGA

SwáSthya Yôga es el nombre de la sistematización del Yôga Antiguo, Preclásico, el Yôga más completo del mundo.

ESTRUCTURA DEL SWÁSTHYA YÔGA

ETAPA	FASE	ESTADIO	EN QUÉ CONSISTE
INICIAL	1	bio-ex (pre-Yôga)	preparatorio antes de tener acceso al Yôga
	2	ashtánga sádhana	refuerzo de la estructura biológica
MEDIA	3	bhúta shuddhi	período de purificación corporal intensiva
	4	maithuna	canalización de la energía sexual
FINAL	5	kundaliní	despertar de la energía creadora
	6	samádhi	estado de hiperconsciencia

EL MÉTODO CONSISTE EN TRES ETAPAS:

1. La etapa inicial tiene por objetivo preparar al practicante para soportar el empuje evolutivo que se producirá en la etapa final. El resultado de esa preparación es el refuerzo de la estructura biológica con un aumento sensible e inmediato de la vitalidad.
2. La etapa media tiene por objetivo la purificación más intensiva y la energización de la sexualidad.

3. La etapa final tiene por objetivo despertar la energía kundaliní, con el consecuente desarrollo de los chakras, sus poderes paranormales y, finalmente, la eclosión de la hiperconciencia llamada samádhi.

En otras palabras, la etapa inicial se propone proporcionar salud y fuerza suficientes para que el practicante resista las prodigiosas alteraciones biológicas resultantes de una evolución personal acelerada que se producirá en la etapa final. Por eso, la etapa inicial tiende a proporcionar todos aquellos proverbiales efectos del Yôga. Es que la fase final va a trabajar para transformar al practicante en una persona fuera de la franja de la normalidad, por encima de ella. Si alguien está por debajo de esa franja, la fase inicial va a elevarlo hasta la normalidad plena, confiriéndole un nivel óptimo de salud y vitalidad. A partir de ahí, podremos hacer un buen trabajo de desenvolvimiento interior equilibrado y seguro, con el cual el practicante va a conquistar la evolución de un millón de años en una década. Para eso, hay que adquirir estructura.

Por ese motivo, hay una legión de personas que adoptan el Yôga sólo esperando conquistar los beneficios proporcionados por la práctica introductoria, y con eso se quedan, satisfechas con los óptimos resultados obtenidos.

I. CARACTERÍSTICAS DEL SWÁSTHYA YÔGA

1) ASHTÁNGA SÁDHANA

La característica principal del SwáSthya Yôga es su práctica ortodoxa denominada ashtánga sádhana (ashta = ocho; anga = parte; sádhana = práctica). Se trata de una práctica integrada por ocho partes, a saber: mudrá, pújá, mantra, pránáyáma, kriyá, ásana, yôganidrá, samyama. Estos elementos serán explicados en detalle más adelante.

2) REGLAS GENERALES DE EJECUCIÓN

Una de las más notables contribuciones históricas de nuestra sistematización fue la incorporación de las reglas generales, que no se encuentran en ningún otro tipo de Yôga... a menos que se introduzcan a partir de ahora, por influencia del SwáSthya Yôga. Ya hemos encontrado ejemplos de esa tendencia en clases y textos de varios tipos de Yôga en diferentes países, después del contacto con el SwáSthya.

Es fácil constatar que las reglas y demás características de nuestro método no eran conocidas ni utilizadas anteriormente: basta consultar los libros de las diversas modalidades de Yôga publicados antes de la codificación del SwáSthya. En ninguno de ellos se va a encontrar referencia alguna a las reglas generales de ejecución.

Por otro lado, podemos demostrar que las reglas generales constituyen sólo un descubrimiento y no una adaptación, pues siempre estuvieron presentes en forma subyacente. Tome como ejemplo algunos ejercicios cualesquiera, tales como una anteflexión (paschimôttánásana), una retroflexión (bhujangásana) y una lateroflexión (trikônásana), y ejecútelos de acuerdo con las reglas del SwáSthya Yôga. Después consulte un libro de Hatha Yôga y haga las mismas posiciones siguiendo sus extensas descripciones para cada ejercicio. Se va a sorprender: la realización será equivalente en más del 90% de los casos. Por lo tanto, existe un padrón de comportamiento. Ese padrón fue identificado por nosotros y sintetizado en forma de reglas generales.

Ese hecho pasó inadvertido a muchas generaciones de Maestros del mundo entero durante miles de años y fue descubierto recién en vísperas del tercer milenio de la Era Cristiana, de la misma forma en que la ley de gravedad no fue registrada por los grandes sabios y físicos de Grecia, India, China, Egipto y del mundo entero, y hasta que Newton la reveló recientemente . Así como Newton no inventó la gravedad, tampoco nosotros inventamos las reglas generales de ejecución. Siempre estuvieron, pero nadie las había notado.

En el SwáSthya Yôga las reglas ayudan bastante, simplificando el aprendizaje y acelerando la evolución del practicante. Al instructor, además, le ahorran un tiempo precioso, gastado habitualmente en descripciones e instrucciones innecesarias.

3) SECUENCIAS COREOGRÁFICAS

Otra importante característica del SwáSthya Yôga es el rescate del concepto primitivo de entrenamiento, que consiste en ejecuciones más naturales, anteriores a la costumbre de repetir los ejercicios. La institución del sistema repetitivo es mucho más reciente de lo que se imagina. Las técnicas antiguas, libres de las limitaciones impuestas por la repetición, se ligaban entre sí por encadenamientos espontáneos. En el SwáSthya Yôga, esos encadenamientos constituyen *movimientos de ligazón* entre los ásanas no repetitivos ni aislados, lo que predispone a la elaboración de ejecuciones coreográficas.

Así, [A] la no repetición, [B] los pasajes (movimientos de ligazón) y [C] las coreografías (con ásanas, mudrás, bandhas, kriyás, etc.), son consecuencia unos de otros, recíprocamente, y son parte de esta tercera característica del SwáSthya Yôga.

Las coreografías tampoco son una creación contemporánea. Ese concepto se remonta al Yôga primitivo, al tiempo en que el Hombre no tenía religiones institucionalizadas y adoraba al Sol. El último rudimento de esa manera primitiva de ejecución coreográfica es la más ancestral práctica del Yôga: ¡el súrya namaskára!

Ocurre que el súrya namaskára es la única reminiscencia de coreografía registrada en la memoria del Yôga moderno. No constituye, por lo tanto, una característica suya. Conviene recordar que el Hatha Yôga es un Yôga moderno, uno de los últimos en surgir, ya en el siglo XI después de Cristo, cerca de 4000 años después del origen del Yôga.

Importante: el instructor que declara enseñar SwáSthya Yôga, pero no arma la clase entera con formato de coreografía, no está transmitiendo un SwáSthya 100% legítimo. Quien no consigue infundir en sus alumnos el entusiasmo por la práctica en forma de coreografía, necesita hacer más cursos y estrechar el contacto con nuestra egrégora, pues aún no ha comprendido la enseñanza del codificador del SwáSthya Yôga.

4) Público adecuado

Es fundamental entender esto para que sea realmente de SwáSthya Yôga, no basta la fidelidad al método. Es preciso que las personas que lo practican sean el público adecuado. En caso contrario, estarán técnicamente ejerciendo el método que preconizan, pero, al fin y al cabo, no estarán profesando el Yôga Antiguo. Sería lo mismo que disponer de la tecnología apropiada para producir un pan de excelente calidad y querer hacerlo con la harina inadecuada.

5) Sentimiento gregario

El sentimiento gregario es la fuerza de cohesión que nos hace crecer y volvernos tan fuertes. Sentimiento gregario es la energía que nos moviliza para participar de todos los cursos, eventos, reuniones y fiestas de SwáSthya Yôga, pues eso nos da placer. Es el sentimiento de gratitud que hace eclosión en nuestro pecho por el privilegio de estar juntos y participando de todo al lado de personas tan especiales. Es el poder invisible que nos confiere éxito en todo lo que hagamos, gracias al apoyo que los colegas nos ofrecen con la mayor buena voluntad. Sentimiento gregario es la satisfacción incontenible con la cual compartimos nuestros descubrimientos y consejos para el perfeccionamiento técnico, pedagógico, filosófico, ético, etc. Sentimiento gregario es lo que induce a cada uno de nosotros a percibir, en lo más profundo de nuestra alma, que hacer todo eso, participar de todo eso, no es una obligación, sino una satisfacción.

6) Seriedad Superlativa

Al trabar contacto con el SwáSthya Yôga, una de las primeras impresiones observadas por los estudiosos es la superlativa seriedad que se percibe en nuestros textos, lenguaje y procedimientos. Esa seriedad se manifiesta en todos los niveles, desde la honestidad de propósitos —una honestidad fundamentalista— hasta el cuidado extremo de no hacer ningún tipo de adoctrinamiento ni de proselitismo ni de promesas de terapia. Definitivamente, no se encuentra ese cuidado en la mayor parte de las demás modalidades de Yôga.

Consideramos fundamental que nuestros instructores y alumnos sean rigurosamente éticos en todas sus actitudes, tanto en el Yôga como en el trabajo, en las relaciones afectivas, en la familia y en todas las circunstancias de la vida. Debemos recordar que, aun siendo alumnos, somos representantes del Yôga Antiguo, y la opinión pública juzgará el Yôga a partir de nuestro comportamiento e imagen.

Tratándose de dinero, recuerde que es preferible perder el noble metal antes que perder un amigo, o perder el buen nombre, o perder la clase.

Debemos mostrarnos profundamente responsables, maduros y honestos al realizar negocios, al hacer declaraciones, al evitar conflictos, el perseguir el perfeccionamiento de las buenas maneras, al cultivar la elegancia y la hidalguía. El mundo espera de nosotros un modelo de equilibrio, especialmente cuando tenemos la obligación moral de defender valientemente nuestros derechos y aquello que creemos, o a las personas en quienes creemos. Evadir la lucha sería la más despreciable cobardía. Luchar con gallardía en defensa de la justicia y de la verdad es un atributo de los valientes. Pero luchar con elegancia y dignidad es algo que pocos pueden conquistar.

7) ALEGRÍA SINCERA

Seriedad y alegría no son mutuamente excluyentes. Uno puede ser una persona que contagie alegría y, al mismo tiempo, muy seria en cuanto a los preceptos comportamentales que rigen la vida en sociedad.

La alegría es saludable y nos predispone a una vida larga y feliz. Esculpe nuestra fisonomía para que denote más simpatía y juventud. Cautiva y abre puertas que, sin ella, nos costaría más esfuerzo abrir. La alegría puede conquistar amigos sinceros y preservar las amistades antiguas. Hasta puede salvar casamientos.

Un practicante de Yôga sin alegría es inconcebible. Si el Yôga trae felicidad, la sonrisa y el comportamiento descontraído son sus consecuencias inevitables.

Sin embargo, administre su alegría para que no pase de los límites y no agreda a los demás. Algunas personas, cuando están alegres, son ruidosas, poco delicadas e invasivas. Ese, obviamente, no es el caso del swásthya yôgin.

8) LEALTAD INQUEBRANTABLE

Lealtad a los ideales, lealtad a los amigos, lealtad a su tipo de Yôga, lealtad al Maestro, constituyen también una característica definida del Yôga Antiguo. En el SwáSthya valorizamos hasta la lealtad a los clientes y a los proveedores. Simbólicamente, somos leales aun a nuestros objetos y a nuestra casa, procurando preservarlos y cultivar la estabilidad, al evitar la sustitución y la mudanza por el simple impulso de variar (Yôga chitta vritti nirôdha). Hay circunstancias en que cambiar es parte de la evolución y puede constituir la solución de un problema de estancamiento. En ese caso, es claro, no se trata de inestabilidad emocional. El propio Shiva, creador del Yôga, tiene como uno de sus atributos la renovación.

No hay nada más hermoso que ser leal. Leal cuando todos los demás ya dejaron de serlo. Leal cuando todas las evidencias apuntan contra su ser querido, persona amada, colega o compañero, pero usted no teme comprometerse y mantenerse leal hasta el fin.

Realmente, no hay nada más noble que la lealtad, especialmente en una época en que tan pocos preservan esa virtud.

II. PRÁCTICA ORTODOXA

SwáSthya Yôga es el propio tronco del Yôga Antiguo, Preclásico, después de la sistematización. El SwáSthya Yôga más auténtico es el ortodoxo, en el cual cada práctica está constituida por las ocho partes siguientes:

1. **mudrá**   gesto reflexológico hecho con las manos

2. **pújá**[25]   retribución ética de energía; sintonización con el arquetipo

3. **mantra**   vocalización de sonidos y ultrasonidos

4. **pránáyáma** expansión de la bioenergía a través de respiratorios

5. **kriyá**   actividad de purificación de las mucosas

6. **ásana**   técnica corporal (no tiene nada que ver con Educación Física)

7. **yôganidrá**   técnica de descontracción

8. **samyama**   concentración, meditación y samádhi

Existen varios tipos de ashtánga sádhana. La estructura de arriba es la primera que aprende el practicante. Se denomina ádi (seguida de palabra iniciada por vocal, la *i* se transforma en *y*: ády). El segundo tipo es el viparíta ashtánga sádhana, para alumnos avanzados. Después vendrán mahá, swa, manasika y gupta ashtánga sádhana, sólo accesibles a instructores de Yôga.

Ahora bien: si usted no se identifica con esta forma más completa, en ocho partes, existe la opción denominada Práctica Heterodoxa.

---

[25] El acento indica sólo dónde está la sílaba larga, pero ocurre que, muchas veces, la tónica está en otro lugar. Por ejemplo: pújá se pronuncia "*púdja*" (dando a la jota el sonido que tiene en inglés; ejemplo: *jump*); y yôganidrá se pronuncia "*yoganídra*".

III. PRÁCTICA HETERODOXA

Esta variedad es totalmente flexible. La estructura de cada práctica es determinada por el instructor que la administra. Por lo tanto, la sesión puede estar constituida por un solo anga, por dos, o tantos como el instructor quiera utilizar, y en el orden que le parezca mejor. Puede, por ejemplo, administrar un sádhana exclusivamente de ásana, o de mantra, o de pránáyáma, o de samyama, o de yôganidrá, etc. O puede combinar algunos de ellos a voluntad. Aun así puede ser SwáSthya Yôga, **siempre que respete las demás características mencionadas en el subtítulo I** y siempre que haya una orientación generalizada de acuerdo con la filosofía que preconizamos.

Sin embargo, en la aplicación de esta alternativa, el instructor deberá, preferentemente, utilizar todos los angas, aunque pueda hacerlo en ocasiones diferentes y con intensidades variables. De esa manera, en las diversas clases que dicte durante el mes, habrá proporcionado a los alumnos la vivencia y los beneficios de los ocho angas.

Lo ideal es que el instructor no adopte sólo la versión heterodoxa, sino que la combine con la ortodoxa, enseñando, por ejemplo, dos veces por semana, una con la primera y otra con la segunda modalidad de práctica.

Para los exámenes de habilitación de instructores ante la Universidad Internacional de Yôga y por las Federaciones, sólo se acepta la versión ortodoxa.

ANÁLISIS DE LOS OCHO ANGAS QUE CONSTITUYEN LA PRÁCTICA ORTODOXA

1) Mudrá

Es el gesto o seña que, reflexológicamente, ayuda al practicante a conseguir un estado de receptividad superlativa. Aun los que no son sensitivos pueden entrar en estados alfa y theta ya en esta introducción. Utilizamos más de cien mudrás.

2) Pújá (manasika pújá)

Es la técnica que establece una perfecta sintonía del sádhaka con el arquetipo de este linaje. Así, selecciona una longitud de onda adecuada a esta modalidad de Yôga, conecta su *plug* en el compartimiento exacto del inconciente colectivo y deja pasar la corriente, estableciendo un perfecto intercambio de energías entre el discípulo y el Maestro.

3) Mantra (vaikharí mantra: kirtan y japa)

La vibración de los ultrasonidos que acompañan el vacío de las vocalizaciones, en el caso del ády ashtánga sádhana, tiene la finalidad de desesclerosar los canales para que el prána pueda circular. Prána es el nombre genérico de la bioenergía. Solamente después de esa limpieza se puede hacer pránáyáma. El SwáSthya Yôga utiliza centenas de mantras: kirtan y japa; vaikharí y manasika; saguna y nirguna mantras. Utilizamos más de cien mantras.

4) Pránáyáma (swara pránáyáma)

Son respiratorios que bombean el prána para que circule por las nádís y vitalice todo el organismo. Y también a fin de distribuirlo entre los miles de chakras que tenemos esparcidos por todo el cuerpo. Bombear esa energía por conductos obstruidos a causa de los detritos provenientes de malos hábitos alimentarios, secreciones internas mal eliminadas y emociones intoxicantes, puede resultar inocuo o incluso perjudicial. Por eso, antes del pránáyáma, procedemos a la limpieza de los canales, en el área energética. Utilizamos 58 ejercicios respiratorios diferentes.

5) Kriyá

Son actividades de purificación de las mucosas, que tienen la finalidad de contribuir a la limpieza del organismo, ahora en el nivel físico. Tratándose de Yôga, sólo se deben realizar los ejercicios físicos después del cuidado de limpiar el cuerpo por medio de los kriyás. Utilizamos seis kriyás clásicos.

6) Ásana

Esta es la parte más conocida y característica del Yôga, para el público lego. No es gimnasia ni tiene nada que ver con Educación Física. Son los ejercicios psicofísicos que producen efectos extraordinarios para el cuerpo en términos de buena forma, flexibilidad, musculatura, equilibrio de peso y salud en general. Para aprovechar al máximo su potencial, los ásanas deben ser precedidos por los kriyás, pránáyámas, etc. Utilizamos miles de ásanas, de los cuales cerca de 2.000 constan en el libro **Yôga Avanzado (SwáSthya Yôga Shástra)**. Los efectos de los ásanas comienzan a manifestarse a partir del yôganidrá.

7) Yôganidrá

Es la descontracción que ayuda al yôgin en la asimilación y manifestación de los efectos producidos por todos los angas. A ellos les suma los propios efectos de una buena recuperación muscular y nerviosa. Pero, atención: yôganidrá no tiene nada que ver con el shavásana del Hatha Yôga. Shavásana, como su nombre lo dice, es sólo un ásana, una posición para relajarse, pero no es la ciencia de la relajación en sí. Esa ciencia se llama yôganidrá y no figura en el currículum del Hatha Yôga. Por eso muchos instructores de Hatha Yôga censuran el uso de música o de inducción verbal del instructor durante la relajación. El yôganidrá utiliza no sólo la mejor posición para relajarse, sino también la mejor inclinación respecto de la gravedad, el mejor tipo de sonido, de iluminación, de color, de respiración, de perfume, de inducción verbal, etc.

8)   Samyama

Esa técnica comprende concentración, meditación y samádhi "al mismo tiempo", es decir, practicados juntos, en secuencia, *en una sola sentada* (etimológicamente, samyama puede significar *ir junto*). Si el practicante va a hacer sólo concentración, llegar a la meditación o alcanzar el samádhi, eso dependerá exclusivamente de su progreso personal. Así, también es correcto denominar dhyána, que significa meditación, al octavo anga. Es una forma menos pretenciosa.

Por lo tanto, incluso una práctica de SwáSthya Yôga para iniciantes, como lo es este conjunto de ocho haces de técnicas que acabamos de analizar y que constituye la fase inicial de nuestro método, será muy avanzada en comparación con cualquier otro tipo de Yôga, previéndose ya la posibilidad de alcanzar un sabíja samádhi.

NOTA DEL CAPÍTULO III

LA RELACIÓN MAESTRO/DISCÍPULO

Sé que usted alimenta un cariño natural por el simple concepto de Maestro. Hay una relación afectiva de alto nivel entre Maestro y discípulo. De mis pupilos, de casi todos, sólo tengo buenos recuerdos. Si consiguiera reunir todas las poesías y declaraciones de cariño que recibo constantemente, sería posible publicar un hermoso libro, desbordante de arte y afecto.

Sin embargo, fuera de nuestro círculo de SwáSthya Yôga, he sido testigo de comportamientos deprimentes de discípulos desleales, orgullosos, que mezclan líneas filosóficas divergentes y que se vuelven contra su propio Maestro. Todos ellos terminan pagando muy caro a causa de esas actitudes.

Para usted, que está identificado con nuestro linaje y con mi manera de enseñar, este capítulo es uno de los más importantes, pues va a establecer parámetros en nuestra relación. Es una relación pautada por la libertad y por el amor, pero, al mismo tiempo, por la jerarquía, la disciplina y la extrema lealtad.

QUÉ DICEN LAS ESCRITURAS HINDÚES

Según los Shástras tradicionales, el Maestro es para el discípulo, padre, madre e Íshwara (que significa Señor; en cierto sentido es la divinidad elegida para el culto particular). En una era contestataria e irreverente, tal afirmación no es nada modesta. En los últimos tiempos, se acostumbra construir frases de efecto o emitir conceptos que impacten al lector, conceptos demagógicos para cautivar a la opinión pública. Sin embargo, las escrituras hindúes no se preocupaban por eso y no estaban jugando cuando establecieron muy claramente cuál debería ser la actitud del Maestro y la del discípulo.

Siendo una filosofía de Oriente y de la antigüedad, el Yôga actúa de la misma manera: el discípulo debe total respeto, obediencia, amor y fe a su Maestro. En caso contrario, no tiene capacidad de ser discípulo ni derecho de llamar a alguien Maestro, conforme dice la Maitrí Upanishad: "Esta ciencia absolutamente secreta sólo debe ser enseñada a un hijo o a un discípulo totalmente devoto a su Maestro".

Para aquel que no sabe aprender, nadie será un Maestro competente, ya que la incompetencia no estará en el enseñar, sino en el aprender. Para aquel que acepta las normas del discipulado, el Maestro escogido siempre es bueno, pues tal discípulo tiene el siddhi del aprendizaje plenamente desarrollado y aprenderá aunque no se diga nada, bastando la proximidad física del Maestro, que actúa como catalizador. Por eso es importante visitar al Maestro con frecuencia.

¿Será incluso significativa la proximidad física, siendo que el Yôga es fundamentalmente subjetivo y domina tan espectacularmente las dimensiones paranormales? Sí, pues se produce un fenómeno denominado nyása, una especie de ósmosis en la cual el discípulo que reúne las cualidades indispensables, asimila parte del conocimiento y el poder de su Maestro a través de la simple convivencia. Para él, el Maestro es un catalizador vivo de la fuerza y la sabiduría que ya estaban presentes en lo íntimo de su ser. Esa convivencia es tanto más importante en la medida en que a través de ella se realizarán el Guru Sêvá, el Parampará y el Kripá Guru, tres de las más sagradas tradiciones del Yôga en lo que se refiere a las relaciones Maestro/discípulo.

Al escoger a su Maestro debe aceptarlo, acatarlo y reconocerlo definitivamente y sin reservas. No cabe de su parte ninguna duda o cuestionamiento. Si usted no tiene esa capacidad, no está a la altura de tener un Maestro y va a quedar estancado sin aprender nada profundo, nada que sea realmente Yôga. Por otra parte, el que cuenta con esa capacidad en su más alto grado, consigue aprender incluso a distancia, pues cada vez que realiza un pújá sincero entra en sintonía interior y el Maestro habla directamente a su corazón, fuera del tiempo y del espacio. De esa forma, puede compensar parcialmente la falta de tan importante presencia física.

CUÁL ES LA DIFERENCIA ENTRE INSTRUCTOR, PROFESOR Y MAESTRO

El *instructor* imparte sesiones prácticas de Yôga a los practicantes comunes. El *profesor* de Yôga dicta también seminarios teóricos para la preparación de futuros instructores. *Maestro* es quien interfiere en la manera de ser, es quien interfiere en el comportamiento y en la vida personal del discípulo, con el consentimiento de éste. En otras palabras, el instructor transmite técnicas y tiene practicantes. El profesor transmite conocimiento y tiene alumnos. El Maestro transmite energía y tiene discípulos. El profesor prepara al discípulo para el Maestro.

En consecuencia, *practicante* es quien participa de las sesiones prácticas impartidas por el instructor. *Alumno* es quien recibe las clases del profesor. Y *discípulo* es quien asumió una relación de compromiso, empatía, lealtad y amor. Discípulo es aquel que aprende más fuera de la sala de clase que dentro de ella, que acepta la interferencia del Maestro en su vida privada.

Ahora bien, se observa que muchos se declaran, indebidamente, discípulos de Maestros ya fallecidos. Esos Maestros jamás podrán expresar una crítica o reprimenda por el estilo de vida censurable del supuesto discípulo, por su alimentación incorrecta con carne, por su consumo de alcohol y cigarrillos, o por la falta de ética. Así es muy cómodo tener un Maestro. Por eso los Maestros fallecidos suelen ser más aceptados por no poder apuntar las fallas de los "discípulos". Ser Maestro o discípulo exige reciprocidad y aceptación de la otra parte. Nadie se puede declarar su Maestro sin que usted esté de acuerdo en ser su discípulo; y de la misma forma, nadie se puede declarar discípulo sin que el Maestro esté de acuerdo. Tiene sentido, ¿no?

Ahora usted ya sabe por qué tantos occidentales eligen como Maestro a algún hindú que ya murió y no puede rechazarlos ni llamarles la atención. Si un discípulo mío procede mal, es amonestado. Si reincide, estoy vivo y puedo declarar que él no es más mi discípulo, ya que no cumple lo que preconizo. Pero... ¿y si esa misma persona resuelve sustituirme por Shivánanda o Aurobindo? Shivánanda, fallecido en 1963, no puede aparecer en público para defenderse y aclarar que ese pretendido discípulo está haciendo todo mal, que Shivánanda nunca predicó eso y no avala tales procedimientos.

Tal vez por esa razón varios códigos de ética, de diferentes países, prohíben al instructor de Yôga declararse discípulo de un Maestro hindú fallecido.

CÓMO RECONOCER A UN BUEN MAESTRO

Es difícil reconocer al Maestro verdadero, incluso porque "a quien está cargado de karma pecaminoso, el Gurú le parece humano; pero, al que tiene un karma auspicioso y pleno de mérito, el Gurú le parece Shiva. Los menos afortunados no reconocen al Gurú, encarnación de la verdad suprema, ni cuando están delante de él, como el ciego ante el Sol." Sin embargo, hay algunas características que ayudan a identificar a un Maestro verdadero.

El Maestro verdadero tiene autoridad para con sus discípulos, pero reverencia con máxima humildad y cariño a su propio Maestro.

El Maestro verdadero, después que ha sido investido del título de instructor o ungido por el mahá kripá, no cambia de línea o de Maestro.

El Maestro verdadero siempre se coloca, en jerarquía y mérito, después de su propio Maestro.

El Maestro verdadero no discute a su propio Maestro, no lo contradice ni emite comentarios de desacuerdo ni de crítica a él.

El Maestro verdadero siempre encuentra oportunidad para citar el nombre y el mérito de su propio Maestro.

QUIÉN PUEDE SER DISCÍPULO

El *Kulárnava Tantra* enseña:

"El Gurú debe desistir de tomar como discípulo al discípulo de otro, al que instiga a los demás, al que es dado a hacer lo prohibido y omitir lo que se le recomienda, al que divulga secretos, al que está siempre empeñado en buscar fallas en los otros, al que es ingrato, traicionero, desleal a su Maestro, al que está siempre queriendo exigir, al que decepciona a todos, al que es orgulloso, al que se cree el mejor de todos, al no sincero, de raciocinio incorrecto, al que le gusta discutir, que rebate a los demás sin razón, al indigno de confianza, que habla mal de las personas por detrás, al que habla como un brahmán aunque no tenga ese conocimiento, plagiador, condenado por todos, a aquel que es duro, traidor a su Maestro, que se engaña a sí mismo, que incita a cosas falsas, que se entrega a los celos, intoxicación (por drogas), egoísmo, de mente celosa, rígida y colérica, inestable, creador de confusión, sin paz ni conducta correcta, que hace burla de las palabras de su Maestro, maldecido por un Gurú, esos son los que debe rechazar".

El *Kulárnava Tantra* también cita las cualidades:

"El discípulo escogido debe estar dotado de buenas cualidades. Debe ser alguien digno de confianza, no intoxicado (por drogas), servicial, no dado a atacar a los otros, con aversión a oír elogios sobre sí mismo, pero genial ante las críticas, debe ser alguien que hable del Gurú, siempre en la proximidad del Gurú, agradable al Gurú, constantemente ocupado en su servicio, con mente, palabras y cuerpo; que cumple las órdenes del Gurú; que difunde las glorias del Gurú; conocedor de la autoridad de la palabra del Gurú; que sigue las intenciones del Gurú; que actúa como un servidor del Gurú; sin orgullo de clase social, honra o riqueza y presencia del Gurú; que no codicia los bienes del Gurú."

El lector debe haber observado que el texto de la escritura hindú insistió en determinadas cuestiones disciplinarias. Y regístrese que se trata de un shástra tántrico, siendo el Tantra una filosofía libertaria. ¡Imagine las exigencias de la línea brahmáchárya, que es represora!

LO QUE EL DISCÍPULO DEBE SABER CON RESPECTO A LA LEALTAD

La lealtad es una de las principales virtudes exigidas al discípulo de Yôga y, por increíble que parezca, es la que peor se interpreta en Occidente. Sin embargo, sin ella no se consigue progresar en la senda.

Si a usted le preguntaran: "¿Usted es leal?", su respuesta sería "sí", sin titubear, ¡definitivamente "Sí"! Casi todos los occidentales se consideran leales a su Maestro, pero en realidad, de acuerdo con los principios orientales y milenarios, su concepto de lealtad deja mucho que desear.

LA LEALTAD TIENE TRES ASPECTOS PRINCIPALES

Primer aspecto: acatar lo que viene del Maestro

Siempre que tenga dudas o que alguien critique su comportamiento, considerándolo fanatismo, deténgase y piense: ¿cómo sería la actitud de un discípulo oriental frente a las recomendaciones, prohibiciones o reprensiones de su Maestro? ¿Un discípulo hindú cuestionaría o contestaría a su Maestro? Claro que no, y por una razón extremadamente lógica, es que la <u>libertad de elección</u> es del discípulo. Es él quien escoge al Maestro. A este le está reservado el derecho de rechazar o de excluir al discípulo cuyo comportamiento no se considere compatible con la enseñanza del Maestro. En consecuencia, un discípulo sólo debe elegir como Maestro a alguien con quien ya manifieste empatía. A partir de ahí, el discípulo tiene como único privilegio el de acatar lo que venga del Maestro.

Segundo aspecto: fidelidad a un solo Maestro

Pero no es eso sólo. Ser leal no es únicamente acatar lo que proviene del Maestro. Es expresar en sus actos, palabras y pensamientos una actitud de satisfacción plena, como aquella que experimentan los apasionados, cuando no quieren saber de nadie más.

En la relación Maestro/discípulo, esa actitud de amor y plenitud se manifiesta en el sentido de no querer aprender de nadie más ninguna cosa, ya que el discípulo se encuentra perfectamente satisfecho con la cantidad y calidad de las enseñanzas de su Maestro. No precisa y no acepta a otros Maestros. No alimenta la menor curiosidad sobre lo que otros podrían enseñarle, como la esposa o el marido fiel (*fiel* en el concepto popular) no tienen la más mínima curiosidad sobre las caricias con que los puedan tentar los mayores seductores.

Se considera falta grave de disciplina, falta de ética y falta de educación visitar a otros Maestros que pertenezcan a estirpes diferentes o incluso a escuelas menos leales de su propia estirpe. Visitar a otro Maestro sin la indicación expresa del suyo propio, significa que no está ciento por ciento con él; que no está satisfecho con las enseñanzas y quiere compararlas con las de otras escuelas. En algunos ashrams de la India, un discípulo que visite a otro Maestro sin autorización del suyo, ¡es sumariamente excluido e instado a seguir al otro que despertó su interés!

Tercer aspecto: defender a su Maestro

Cada instructor o profesor tiene el deber moral de esclarecer a todos sus practicantes y alumnos en cuanto a estos conceptos sumamente importantes. También debe prepararlos para defender con coraje su tipo de Yôga, su linaje y a su Maestro contra los tan frecuentes sabihondos que, motivados por la envidia, los ataquen. No se admite a un discípulo que se quede escuchando ataques e injurias hacia su Maestro sin defenderlo con fibra y elocuencia. Tolerancia y silencio, en este caso, serían sólo indicios de cobardía.

GURU SÊVÁ

En la India, antes de enseñar verdaderamente Yôga a un aspirante a discípulo, el Maestro lo somete a una serie de pruebas para comprobar la sinceridad, la voluntad y principalmente la lealtad del chêla. Suma puntos de concepto también la combatividad del yôgin para defender su escuela y a su Maestro.

Al recibir el pedido de admisión de un aspirante a discípulo, es común que el Maestro le asigne sólo servicios duros y vulgares. El candidato que es aceptado ingresa en esa escuela, pero, inicialmente, sólo para barrer el piso, limpiar los baños, lavar los platos, hacer la comida, etc. Ninguna técnica objetiva de Yôga le es enseñada.

En caso de que el pretendiente a discípulo no tenga suficiente amor por el Maestro y capacidad de auto entrega como para aceptar todo sin cuestionar nada, en poco tiempo estará pidiendo una entrevista con el Maestro, en la cual le cuestionará por qué sólo le asigna servicios banales y no le enseña Yôga. Si ocurre eso, el Maestro responderá:

—Lo que se le está enseñando es Karma Yôga, por lo tanto, una modalidad de Yôga. Sin una buena asimilación del Karma Yôga, ningún otro tipo de Yôga podrá ser aprendido.

Como todas las actitudes del sádhaka pesan en su constante evaluación de mérito, a partir de tal cuestionamiento, el Maestro empezará a exigir mucho más y a conceder mucho menos a ese aspirante que ya comenzó mal, dando pruebas de poca aceptación.

Por otra parte, si el aspirante todo lo acata y cumple con alegría las tareas que se le asignan, pasado algún tiempo el Maestro lo acepta como discípulo y comienza a pasarle enseñanzas de la etapa que sigue al Guru Sêvá y que se denomina Parampará.

PARAMPARÁ

Por las razones expuestas, se comprende por qué el Guru Sêvá o servicio al Maestro es considerado uno de los aspectos más importantes del discipulado. Y también uno de los medios auténticos y tradicionales para alcanzar el conocimiento. Tal conocimiento es el Parampará. Literalmente, ese término significa *uno después del otro*. Pero el sentido es "transmisión oral", o sea, es la única forma por la cual el verdadero conocimiento puede pasar de Maestro a discípulo, de boca a oído, a través de los siglos y milenios.

La cultura libresca en Yôga tiene un valor muy limitado y sólo llega a recomendarse para los iniciantes que están muy al comienzo del camino, a fin de abastecerlos de un mínimo de elementos con los cuales puedan trabajar. Luego, la lectura intensiva pasa a ser desaconsejada, pues estimula una clase de futilidad típica de los intoxicados de teoría, que actúan como ebrios que repiten cosas de las cuales no tienen suficiente vivencia y, por lo tanto, no saben de lo que están hablando. A pesar de eso hacen sofismáticos discursos, bastante convincentes en términos teóricos. Con egos hipertrofiados, se deleitan en escucharse a sí mismos hablar en chorros de verborragia inútil.

Así como ocurre con la fase de Guru Sêvá, en esta también los inmaduros, los desajustados y los que están llenos de devaneos tienden a decepcionarse y juzgar que el Maestro no sabe o no quiere enseñar.

En realidad, las más preciosas enseñanzas están siendo depositadas en sus manos, pero el discípulo no puede detenerse a percibir eso, pues está muy ocupado en cultivar sueños y expectativas. Él no está interesado en que la verdad sea verdadera: esta debe encajar en la imagen que venía siendo alimentada por su imaginación lega y profana.

De esta forma, pierde por entre los dedos valiosas joyas de sabiduría milenaria, porque esta, normalmente, se presenta con ropaje simple. En su autenticidad, la sabiduría no necesita revestirse con ornamentos jerarquizantes. Pero el discípulo, necio, casi siempre espera que la verdad sea anunciada con trompetas. Por eso deja pasar el tesoro que se encuentra entre líneas en cada cosa que el Maestro dice o hace cuando está bromeando, descansando, alimentándose o amonestando.

KRIPÁ GURU

Kripá Guru es el toque del Maestro, que transmite fuerza. También puede traducirse como bendición, gracia o favor. ¡No confunda kripá con kriyá!

Si el discípulo consiguió comprender que la verdadera enseñanza no es formal y que las mayores lecciones el Maestro las da fuera de la sala de clase, entonces no tardará en ser convocado para recibir la tercera fase de la iniciación, el Kripá Guru —la gracia del Maestro— esto es, su toque, su bendición, a través de la cual pasará la fuerza al discípulo. Sin embargo, el hecho de ya haber recibido el kripá no significa que superó la fase anterior. Esas fases no son sustituidas sino acumuladas unas a las otras y sus energías, sumadas.

Hay varios tipos de kripá:

1) El ádi kripá es un toque simple, una bendición que cualquier persona puede recibir como transmisión de fuerza, paz, salud, bienestar y desarrollo interior.

2) El mahá kripá es una transmisión fuerte, que transforma al discípulo en instructor o al instructor en Maestro. Insufla el poder de preparar a otros instructores. Establece lazos eternos de cariño y respeto entre el Maestro que lo concedió y el discípulo que lo recibió.

3) El tantra kripá es un toque energizante que estimula chakras y kundaliní a través de la libido. Este kripá no se utiliza en Occidente debido a nuestros bloqueos culturales. Sin embargo, puede ser transmitido por la Mahá Shaktí.

4) Y otros.

La libertad es nuestro bien más precioso.
Al confrontar la libertad con la disciplina,
si esta violenta a aquella, opte por la libertad.

Maestro DeRose

NOTA DEL CAPÍTULO IV

ALGUNOS DE LOS 108 TIPOS DE YÔGA EXISTENTES

En el Yôga existen cuatro grandes linajes que son: Tantra-Sámkhya (Yôga Preclásico, más de 5.000 años), Brahmáchárya-Sámkhya (Yôga Clásico, siglo III a.c.), Brahmáchárya-Vêdánta (Yôga Medieval, siglo VIII d.c.), y Tantra-Vêdánta (Yôga Contemporáneo, siglos XIX y XX). Cada linaje posee una fundamentación filosófica (Sámkhya o Vêdánta) y una fundamentación comportamental (Tantra o Brahmáchárya). Sámkhya y Vêdánta son filosóficamente opuestos entre sí, pues el Sámkhya es **naturalista**, mientras que el Vêdánta es **espiritualista**. Tantra y Brahmáchárya también son opuestos entre sí, pues el Tantra es **matriarcal, sensorial y desrepresor**, mientras que el Brahmáchárya es **patriarcal, antisensorial y represor**. Por eso, no se deben mezclar tipos de Yôga unos con los otros. Las ramas, en número homologado de 108, son como fórmulas o recetas que determinan cuáles son las técnicas empleadas por cada modalidad y en qué proporción.

ÁSANA YÔGA

Ásana significa *técnica corporal o psicoorgánica*. Se trata de una rama dedicada exclusivamente a la relación entre el psiquismo y el funcionamiento de los órganos internos. Sólo utiliza un anga, ásana, pero sin embargo, no tiene ninguna semejanza con gimnasia ni relación alguna con Educación Física. Se trata de una de las modalidades más ancestrales.

RÁJA YÔGA, EL YÔGA MENTAL

Rája significa *real* (de los reyes). Consiste en cuatro partes o angas: pratyáhára (abstracción de los sentidos), dháraná (concentración mental), dhyána (meditación) y samádhi (hiperconciencia). Posteriormente, alrededor del siglo III a.C., a estas cuatro técnicas se les agregó una introducción formada por otras cuatro (yama, niyama, ásana, pránáyáma), con lo cual se codificó el Ashtánga Yôga o Yôga Clásico.

BHAKTI YÔGA, EL YÔGA DEVOCIONAL

Bhakti significa *devoción*. El Yôga devocional no es forzosamente espiritualista. En sus orígenes preclásicos, su fundamentación era naturalista y, en la región en que floreció, no se encontraron evidencias de la existencia de reli-

142

giones institucionalizadas. Consiste en rendir culto a las fuerzas de la Naturaleza, el Sol, la Luna, los Árboles, los Ríos, etc.

KARMA YÔGA, EL YÔGA DE LA ACCIÓN

Karma significa *acción*. Es un Yôga que induce a la acción. Su vertiente medieval adoptó connotaciones de la filosofía Vêdánta, lo que le confirió un aire de "acción desinteresada", cuando en realidad la propuesta es impulsar a la acción, al trabajo, a la realización. Por cierto, en principio tal dinámica no aspira a beneficios personales, recompensas o reconocimiento.

JÑÁNA YÔGA, EL YÔGA DEL AUTOCONOCIMIENTO

Jñána significa conocimiento. El método de esa modalidad consiste en meditar en la respuesta que el psiquismo elabora para la pregunta "¿quién soy yo?", hasta que no haya ningún elemento que pueda ser separado del *Self* y analizado. En este punto, el practicante habrá encontrado la Mónada o su Ser.

LAYA YÔGA, EL YÔGA DE LAS PARANORMALIDADES

Laya significa *disolución*. La intención en este tipo de Yôga es disolver la personalidad, es decir eliminar la barrera que existe entre el ego y el *Self*. Como el *Self* o Mónada es el propio Absoluto que habita en cada ser viviente, al ser disuelta la barrera de la *personam*, todo su poder y sabiduría fluyen directamente hacia la conciencia del practicante.

MANTRA YÔGA, EL YÔGA DEL DOMINIO DEL SONIDO Y DEL ULTRASONIDO

Mantra significa *vocalización*. Se trata de una rama del Yôga que pretende alcanzar la meta a través de la resonancia transmitida a los centros de energía del propio cuerpo, conduciéndolos a un pleno despertar. Como consecuencia, la conciencia aumenta y el practicante alcanza el samádhi.

TANTRA YÔGA, EL YÔGA DE LA SENSORIALIDAD

Tantra significa, entre otras cosas, *la manera correcta de hacer cualquier cosa, autoridad, prosperidad, riqueza; encordado* (de un instrumento musical). Es la vía de perfeccionamiento y evolución interior mediante el placer. Enseña cómo relacionarse consigo mismo, con los otros seres humanos, los animales, las plantas, el medio ambiente, el Universo. También trata de todo lo que se refiera a la sensorialidad y a la sexualidad. Pretende alcanzar la meta mediante el refuerzo y la canalización de la libido. El Tantra Yôga enfatiza el trabajo sobre la kundaliní, pero existe otra modalidad especializada en el despertar de esa fuerza colosal: es el Kundaliní Yôga, que describiremos más adelante.

SWÁSTHYA YÔGA, EL YÔGA ANTIGUO, QUE COMPRENDE TODOS LOS ANTERIORES

Swásthya significa *autosuficiencia, salud, bienestar, confort, satisfacción*. Se basa en raíces muy antiguas (Tantra-Sámkhya) y por eso es tan completo, pues posee el germen de lo que, siglos más tarde, dio origen a las ocho ramas más antiguas (Ásana Yôga, Karma Yôga, Jñána Yôga, Laya Yôga, Mantra Yôga y Tantra Yôga). Su práctica consiste en ocho haces de técnicas, a saber: mudrá (lenguaje gestual), pújá (sintonización con el arquetipo), mantra (vocalización de sonidos y ultrasonidos), pránáyáma (respiratorios), kriyá (purificación de las mucosas), ásana (técnica corporal), yôganidrá (técnica de descontracción) y samyama (concentración, meditación y otras técnicas más profundas). Se trata de la sistematización del Dakshinacharatántrika-Niríshwarasámkhya Yôga, un proto Yôga integrado, de orígenes dravídicos, con más de 5.000 años.

SUDDHA RÁJA YÔGA, UNA VARIEDAD DE RÁJA YÔGA MEDIEVAL, PESADAMENTE MÍSTICO

Suddha significa *puro*. Da a entender que pretende ser la versión más pura del Rája Yôga, lo cual no es verdad, ya que el Rája Yôga era de fundamentación Sámkhya y el Suddha Rája Yôga se fundamenta en el punto de vista opuesto, el Vêdánta. Consiste en mantras y meditación. En el Brasil, sufrió la influencia del Cristianismo y pasó a ser ejercido como un híbrido de la religión cristiana; actualmente, es difícil encontrarlo.

KUNDALINÍ YÔGA, EL YÔGA DEL PODER

Kundaliní significa *aquella que tiene la apariencia de una serpiente*. Es un tipo de Yôga que busca despertar la energía que lleva su nombre (kundaliní). Esa energía está situada en el perineo y tiene relación directa con la sexualidad. Su despertar y su ascenso por la médula espinal hasta el cerebro producen una constelación de paranormalidades, culminando en un estado expandido de conciencia denominado samádhi, que es la meta del Yôga. En realidad, no sólo esta modalidad sino todos los tipos auténticos de Yôga trabajan el despertar de la kundaliní, según nos dice el Dr. Shivánanda en su libro *Kundaliní Yôga*, pág. 70.

Siddha Yôga, el Yôga del culto a la personalidad del gurú

Siddha significa el *perfecto*, o *aquel que posee los siddhis* (poderes paranormales). Por el nombre, da a entender que tiene parentesco con el Kundaliní Yôga, pero manifiesta poca semejanza con él. Se practica mucho mantra, pújá y meditación, pero la base es realmente la reverencia a la personalidad del gurú. En Brasil, había un pequeño grupo de Siddha Yôga en Río de Janeiro, pero actualmente no se sabe si sigue en actividad.

Kriyá Yôga, el Yôga que consiste en autosuperación, autoestudio y autoentrega

Kriyá significa *actividad*. Se trata de un Yôga muy difundido en los Estados Unidos en la década del 50 y que hoy mantiene ricas instalaciones. Consiste en tres niyamas (normas éticas): tapas (autosuperación), swádhyáya (autoestudio) e íshwara pranidhana (autoentrega). Es citado en el *Yôga Sútra*, libro del siglo III a.c. Hay pocas entidades que lo representan en el Brasil, siendo Bahía y Río de Janeiro sus principales reductos. La mayoría lo estudia por libros. El mejor libro es *Tantra Yôga, Nada Yôga y Kriya Yôga*, de Shivánanda, Editorial Kier, Buenos Aires. Esta es la única obra que enseña abiertamente el Kriyá Yôga, sin hacer misterios.

Yôga Integral, el Yôga de la integración en las actividades de todos los días

Se lo llama Yôga Integral no por ser más integral que los otros, como el nombre puede sugerir por asociación de ideas con los alimentos integrales. Se denomina así porque su propuesta es integrarse en la vida profesional, cultural y artística del practicante. Fue creado por Sri Aurobindo, que defendía el deseo de que "el Yôga deje de parecer una cosa mística y anormal que no tiene relación con los procesos comunes de la energía terrena".

Yôga Clásico, un Yôga árido y duro, con restricciones patriarcales y otras

El Yôga Clásico —o Ashtánga Yôga— no es el Yôga más antiguo ni el más completo, como se divulga. El más antiguo y completo es el Preclásico. El Yôga Clásico tiene un nombre fuerte, pero su práctica es inviable para el hombre moderno debido a la lentitud con que avanzan sus pasos. La práctica es tan restrictiva y árida que nadie pagaría para recibir ese tipo de aprendizaje. Por eso, lo que se ve en Occidente son escuelas que explotan el célebre nombre de esa rama, pero en la práctica enseñan Hatha Yôga. El Yôga Clásico está constituido por ocho partes o angas que son: yama, niyama, ásana, pránáyáma, pratyáhára, dháraná, dhyána, samádhi. En el Brasil, el mejor libro es el *Yôga Sútra de Pátañjali* de la Editorial Martin Claret.

HATHA YÔGA, EL YÔGA FÍSICO

Hatha significa *fuerza, violencia, rapiña,* y no el poético "Sol-Luna", como declaran algunos libros. Se trata de una vertiente medieval, fundada en el siglo XI de la Era Cristiana; por lo tanto, está considerado un Yôga moderno, surgido más de 4000 años después del origen del Yôga primitivo. Está constituido por los cuatro angas iniciales del Ashtánga Yôga (yama, niyama, ásana, pránáyáma), pero en los establecimientos de Yôga los dos primeros angas no se enseñan, y la práctica queda reducida apenas a ásana (técnicas corporales) y pránáyáma (respiratorios). Pueden agregarse otras técnicas, tales como bandhas, mudrás y kriyás, pero no forzosamente. La meditación no forma parte y no debe ser incluida en una práctica de Hatha. Ha sido el Yôga más popular en Occidente. En el Brasil, hoy está sobradamente suplantado por el SwáSthya Yôga. El mejor libro publicado en portugués sobre el tema fue *Hatha Yóga, ciéncia da saúde perfeita,* de Caio Miranda.

Nota del Capítulo VI

El profesor tiene alumnos. El Maestro tiene discípulos

¿Qué tipo de discípulo es usted?

Frecuentemente, las personas se juzgan a sí mismas con condescendencia. ¿Será que a los ojos de su Maestro usted es el tipo de discípulo que supone ser? ¿A usted le importa? Si a usted le importa la imagen que pueda tener ante su Supervisor y se esfuerza para mejorar, escriba a su Maestro informando en qué tipo de discípulo cree que se encuadra. Si no escribe, es señal de que no le interesa. O tal vez le interesa tan poco que ni llegó a registrar este pedido que ya se había hecho en el libro *Yôga, Mitos e Verdades*.

El discípulo que no asumió al Maestro

Es aquel que leyó el libro *Yôga, Mitos e Verdades*, no estuvo de acuerdo, pero fingió que sí. Leyó el *Contrato de Supervisión*, no prestó atención, pero declaró que no tenía dudas y lo firmó. No dio importancia a la ceremonia de Confirmación con el Maestro y prometió que cumpliría los compromisos, a pesar de no tener la intención de hacerlo. Leyó el texto *Un Sacudón del Maestro*, y no concordó con su contenido.

Este es el tipo de discípulo que desobedece las recomendaciones del Maestro, aplica una interpretación del SwáSthya Yôga de autenticidad dudosa, incompleta, truncada y distorsionada. Constantemente tiene un comportamiento espiritualista o alternativo. Es anarquista o superficial en la manera de tratar el Yôga. No es profesional. No suele pagar la tasa de supervisión. O bien *se equivoca* con el valor de la contribución. O contribuye de forma irregular. Además vive *engañándose* en todo. Cuando es descubierto, pide disculpas, dice que el hecho no se repetirá, pero continúa "olvidándose", "equivocándose" y "no entendiendo"...

De frente, dice "querido Maestro", sonríe y adula. Por detrás, hace lo que quiere, no cumple, mezcla, distorsiona. Suele asistir a cursos apócrifos, no pertinentes y no autorizados; frecuenta otras instituciones que nada tienen que ver con nuestro linaje y mezcla todo, aunque niegue estar mezclando. No es raro que se relacione con nuestros opositores. A espaldas del Maestro dice que no concuerda con él en esto o aquello.

En general, no forma instructores. Cuando los forma, son indisciplinados. No ayuda al crecimiento del SwáSthya Yôga ni al de la Unión Nacional de Yôga. No los siente como propios sino como algo que pertenece a DeRose. Tiene miedo a la oposición de sus propios alumnos y de los demás compañeros de la Unión.

Al leer estas líneas, va a pensar que no es por él. Que él no se encuadra en esta descripción.

¡Me pregunto si no sería mejor no tenerlo como discípulo! Pues tenerlo o no, da lo mismo.

El discípulo exigente

Él leyó muy bien todos nuestros libros para descubrir las contradicciones y poder criticar las fallas de la obra. Leyó los demás libros recomendados y todos los textos, como el *Contrato de Supervisión* y *Un Sacudón del Maestro*. Estudió diligentemente cada palabra, cumple todo al pie de la letra y procura ser un yôgin ejemplar. De hecho, no fuma, no bebe, no come carne, no toma drogas, practica bastante, estudia en exceso, forma instructores y es rígido con sus alumnos.

El SwáSthya Yôga que transmite este tipo de discípulo es tan exigente que corre el riesgo de distorsionarse por exceso.

Es antipático con los alumnos, arrogante con los otros instructores e insolente para con su Maestro. Tiene complejo de superioridad, cree que es mejor que los demás y piensa que nadie se da cuenta. Es extremadamente orgulloso, pero lo niega. Está siempre en desacuerdo. Ve defectos en todo.

Suele cuestionar las recomendaciones del Maestro, siendo groseramente franco, con una abusiva falta de respeto a los principios de jerarquía. Discute las normas vigentes (aunque las cumpla con celo), diciendo que esto y aquello no está bien y que las normas están lejos de ser perfectas. Algunos llegan a dar sugerencias fantasiosas e inviables para cambiar las reglas a fin de adaptarlas a sus propias conveniencias oníricas.

Este tipo de discípulo hace reclamos a todo el mundo, inclusive al propio Maestro. Es tan egocéntrico que al leer esta descripción, va a pensar que escribí esto pensando sólo en él y que esta es una indirecta personal. ¡Y se va a ofender!

Es un impertinente. Sería óptimo tenerlo como discípulo siempre que no hubiese que hablar con él jamás. Es cansador, estresante, irritante.

El falso discípulo

Se trata de un caso más simple. Él quería el certificado de instructor para trabajar, y como el nuestro, además de ser el más respetado, es el único con validez legal, tuvo que aceptar las normas. Leyó todos los textos atentamente, estuvo en desacuerdo con todo, consideró todo muy radical, un absurdo, pero mintió declarando que comprendía y que aceptaba todas las imposiciones, sólo para poder recibir el certificado.

Durante el curso, se sintió agredido. Al pedir alguna autorización al Supervisor, se sintió indignado. Al recibir el kripá, lo consideró ridículo. En los cursos, las pruebas, los congresos, hasta en la correspondencia que intercambia con nosotros, es siempre un generador de problemas. Está siempre dispuesto a adjudicarle defectos a algo; todo el tiempo, armado contra nosotros. Acostumbra tratar mal a los secretarios y demás personas encargadas de hacer cumplir las órdenes superiores.

Al conversar con otros instructores y alumnos, se comporta como un instigador, un enemigo infiltrado, tratando todo el tiempo de sembrar dudas, insatisfacción y discordia en relación con nuestro trabajo, filosofía o reglamentos.

La mayoría de los que constituyen este tipo de discípulo proviene de otras ramas de yoga, de ideologías espiritualistas (Rosacruz, Teosofía, Antroposofía, etc.), o incluso de la Macrobiótica, Raj-neesh, Hare Krishna, Brahma Kumaris, Ánanda Marga, GFU y otras sectas.

Frecuentemente, elude las revalidaciones. Jamás paga correctamente, reclama derechos que no tiene, pues no pagó por ellos. Es agresivo, maleducado, irracional.

Suele terminar siendo expulsado con deshonra.

EL DISCÍPULO VOLUBLE

Él piensa que es inteligente, pero en realidad tiene mal carácter. Usa un Maestro para aprender todo lo que le interesa. Después, lo cambia por otro que no tenga nada para enseñar, pero que sea hindú y, preferentemente, famoso, que todo el mundo conozca, pues así, cuando le pregunten: "¿Quién es su Maestro?", podrá responder, orgulloso, que es Sivánanda, Aurobindo, Mukhtánanda, Satyánanda... Tal vez por eso el Código de Ética de la *International Yoga Teachers Asociation* considere antiético declararse discípulo de Maestros famosos.

Si el Maestro hindú ya falleció es mejor aún, pues un Maestro muerto no puede llamar la atención del discípulo. Además, si el Maestro está vivo, él puede aceptar al estudiante o no. Si no lo acepta, usted no puede declararse discípulo de él. Pero si el Maestro ya falleció, ¡no podrá hacer público que usted nunca fue aceptado por él como discípulo!... Es muy conveniente.

El discípulo voluble presenta una disculpa para su actitud censurable. Afirma que el aprendiz debe usar a los Maestros como quien sube una escalera y, por lo tanto, debe ir cambiando de Maestros a medida que asciende. "Es que ya aprendí todo lo que podía con este, ahora necesito uno más avanzado", justifica. Utiliza a su Maestro como un escalón para llegar a otro Maestro, tal como algunas mujeres de carácter dudoso usan a un hombre de alguna influencia para llegar a otro supuestamente más importante, y así sucesivamente.

Cuando conozca a un instructor de Yôga que haya cambiado a su Maestro brasileño por un Maestro hindú, sepa que está delante de una persona que escupe en el plato en que comió. Él no merece su respeto ni su confianza.

EL DISCÍPULO QUE MATA AL MAESTRO

En las Artes Marciales del Oriente hay un proverbio que dice: "El mejor discípulo es el que va a matar al Maestro". "Matar", la mayor parte de las veces, es simbólico, en el sentido de enfrentar, oponerse, medir fuerzas, tratar de vencer al Preceptor. Si lo consigue, puede matar la carrera profesional de él o, por lo menos, comprometerla.

Tal procedimiento destructivo se explica. Es que, muchas veces, el mejor pupilo, el más esforzado, un día, para mostrar a su Maestro que aprendió todo muy bien, lamentablemente, quiere probar que es mejor que él. Entonces, lo desafía. Todo es una cuestión de ego. Es común que ese fenómeno se produzca entre hijos y padres, cuando los primeros procuran demostrar a sí mismos y al mundo que son mejores que sus progenitores. En el Yôga eso también ocurre. Felizmente, no es siempre, y no es forzosamente el mejor discípulo el que va a jugar una mala pasada.

Pero el karma no perdona. Todos los que actúan mal con sus Maestros pagarán caro por eso. La historia registra muchos casos célebres. El repudio de los demás instructores excluye y aísla al traidor. Todos piensan: quien traiciona a su propio Maestro, ¿qué no hará con sus colegas? Sus alumnos razonan de la misma forma y pierden el respeto por él. Finalmente, víctima de su orgullo, falta de humildad y de gratitud, termina execrado por todos. Vuelve amarga una carrera que no tendrá más el mismo brillo. Después no sirve de nada deplorar el éxito perdido, que sólo habría sido posible contando con el apoyo y la recomendación de su Maestro y de todos sus colegas, discípulos de él, si no hubiese actuado vergonzosamente.

EL DISCÍPULO ANTROPÓFAGO

Hay un tipo de discípulo que canibaliza al Maestro. No puede entender que el Maestro no existe para servirle. Por eso, encuentra perfectamente normal reclamar atención del Maestro. Generalmente es una persona querida, pero que pide, usa, reclama, hace una pregunta tras otra, escribe cartas más largas que lo que permitirían las buenas maneras y, después, reclama si el Maestro no le llega a responder.

Es un carenciado que necesita atención. Por eso suele ser afectuoso y simpático. Sería muy gratificante tener una persona así en nuestro círculo de estudios y trabajo, siempre que no solicitase tanta atención. Hasta las propias relaciones afectivas y conyugales no resisten y naufragan cuando uno de los cónyuges tiene ese defecto de personalidad.

Nuestra recomendación vehemente para el discípulo antropófago es que lea muchas veces el capítulo que habla sobre la relación Maestro/discípulo, en el libro **Yôga Avanzado**, que relea todo el libro **Boas Maneiras no Yôga** y mire el video sobre *Guru sévá*.

EL DISCÍPULO QUE NUNCA CONCRETA NADA

También está aquel que mira meloso, hace declaraciones de fidelidad eterna, dice que un día va a comenzar a enseñar, que se va a dedicar con seriedad a nuestra misión, pero... los años pasan y ese discípulo no hace nada. Todo para él es difícil. Mira el mundo como si todos fuesen superiores a él. Y él, incomprensiblemente, no consigue enfrentar los desafíos que los otros resuelven con tanta naturalidad. Trabajar con profesionalismo, enseñando solamente Yôga, representa una barrera subjetiva que, no se sabe por qué, él no supera... Abrir una Unidad, un Centro de Yôga, "ahora no da", "¿usted piensa que es fácil?"... Participar de un evento constituye un problema: es lejos, es caro, es de noche... Organizar un curso en su ciudad es impensable, tan grandes son las dificultades que él mismo pone, comparando su pequeñez con la estatura de la empresa...

Pasa años prometiendo que cuando los hijos crezcan, o cuando se divorcie, o cuando se jubile, o, o, o... Todos sus colegas ya han realizado alguna cosa importante, pero el *discípulo que no concreta nada* atraviesa los años suspirando y prometiendo que un día, cuando se pueda, hará algo. ¡Y no lo hace!

La vida pasa, los hijos crecen, el divorcio se concreta, la jubilación llega, la vejez se instala y un día, el *discípulo que no concreta nada* muere, oscuro y anónimo, sin haber realizado nada para sí mismo, ni por la Humanidad ni por el Yôga.

EL DISCÍPULO LEAL A LA ENSEÑANZA DEL MAESTRO

Hay dos tipos de discípulo leal: uno que es leal a las cosas que el Maestro preconiza; otro que es leal al Maestro. El primero defiende las ideas del Preceptor, pero no defiende al propio generador de las ideas. Por las enseñanzas del Maestro es capaz de pelear con los otros ¡y hasta con el propio Maestro!

Eligió al Mentor sólo por la constatación de que aquello que él proponía se encuadraba en sus conveniencias. El día que el Maestro diga algo con lo cual no concuerde, en lugar de adaptarse e incorporar esa nueva óptica, el aprendiz rechazará al Maestro. Usa al Maestro mientras le resulta útil, después lo escupe afuera.

El discípulo leal sólo a las enseñanzas del Maestro *acaba tornándose su enemigo*. Se esclerosa en aquello que el Maestro enseñó y no consigue evolucionar junto con él. Con el paso de los años, el Maestro crece, se perfecciona y ve el Universo cada vez con más amplitud y mayor claridad. Entonces, ese discípulo cuestiona al Supervisor, que no está siendo coherente con sus propias enseñanzas, que está traicionando lo que siempre predicó, que está enloqueciendo... y le da la espalda, a veces difamándolo e instigando a los otros discípulos a que también se opongan a él.

El discípulo leal al Maestro

Por otro lado, el discípulo leal al Maestro es fiel, independientemente del mensaje. No está con el Maestro porque concuerda con lo que él dice, sino que ¡**concuerda con lo que el Maestro dice porque está con él!**

Si el Maestro evoluciona, ese segundo tipo de discípulo leal evoluciona junto con él. Si el Maestro cambia, el discípulo cambia con él. Confía en el Maestro, acata su ascendencia, le ofrece un voto de confianza por los años de recorrido o simplemente lo sigue por amor, por la satisfacción de estar juntos.

Si el Maestro deja de enseñar Yôga y se pone a enseñar ping-pong, el discípulo leal al Maestro va con él, por amor, por confianza, por placer de permanecer a su lado. "Si una persona de la estatura de mi Maestro cambió —deduce— es porque ya descubrió algo que yo todavía no comprendí. Entonces, voy a seguirlo, después de todo, es mi Maestro".

El discípulo ideal

¡Existe, sí! Y, por increíble que parezca, realmente es la mayoría. Algunos de los ejemplos anteriores son las excepciones. ¡Felizmente!

El discípulo ideal es simpático, le gusta colaborar, comprende nuestras razones y tiene satisfacción en cumplir todas las determinaciones.

Leyó todos los textos con una disposición positiva, comprendió y no comete errores, pues considera todo tan simple, claro y obvio, que no entiende la confusión que hacen algunos.

Al leer *Un Sacudón del Maestro*, procuró pensar bien si alguna de aquellas advertencias podía servir para él. Y, honestamente, llegó a la conclusión de que no. Aun así, consultó a su Maestro, ¡sólo para confirmar!

Paga todo irreprochablemente, sumas correctas en las fechas precisas. Revalida puntualmente, prepara nuevos instructores todos los años, sus alumnos son disciplinados y, por la mirada de ellos, se nota que les agrada el Maestro.

Asiste a todos los cursos, congresos, festivales, residencias, seminarios, convocaciones. Divulga todo y trae más gente, promueve cursos y eventos, invita al Maestro para dictar cursos y nunca deja a la Uni-Yôga afuera cuando realiza algo.

No mezcla Yôga con ninguna otra disciplina, arte, ciencia o filosofía. No participa de cursos apócrifos. No frecuenta instituciones de la oposición. No confraterniza con nuestros detractores. Es leal, disciplinado, amoroso y ético.

Consulta siempre a su Maestro. Da sugerencias, pero sin críticas ni reclamos. Quiere servir y ayudar. Por otro lado, acepta críticas sin ofenderse, y hasta incluso las pide. Además, no se ofende nunca, ya que en su corazón el amor por el Maestro es tan grande que no sobra lugar para susceptibilidades.

De frente, trata al Maestro con cariño; a sus espaldas, lo defiende con lealtad. Para él, está todo bien, perfecto: los cursos, las revalidaciones, la supervisión, el SwáSthya, la Uni-Yôga, hasta los cambios de rumbo del Maestro.

Reencontrarlo es siempre una fiesta, conversar con él, una descontracción. Es una persona que queremos como nuestro amigo personal.

Al leer esta descripción, él se identifica, reconoce su valor y se siente feliz por saber que lo valorizamos por lo que él es.

153

NOTA DEL CAPÍTULO VIII

QUÉ ES UNA CODIFICACIÓN

Imagine que usted heredó un armario muy antiguo (¡en nuestro caso, de cinco mil años!). De tanto admirarlo, limpiarlo, revolver en él, acabó por encontrar un compartimento que parecía esconder algo en su interior. Después de mucho tiempo, trabajo y esfuerzo para no dañar esa preciosidad, finalmente consigue abrirlo. Era una gaveta olvidada y, por eso mismo, lacrada por el tiempo. Allí adentro usted contempla extasiado un tesoro arqueológico: ¡herramientas, pergaminos, sellos, esculturas! ¡Una inestimable contribución cultural!

Las herramientas todavía funcionan, pues los utensilios antiguos eran muy fuertes, construidos con arte y hechos para durar. Los pergaminos son legibles y contienen enseñanzas importantes sobre el origen y la utilización de las herramientas y de los sellos, así como sobre el significado histórico de las esculturas. Todo está intacto, sí, pero tremendamente desordenado, mezclado y con el polvo de los siglos. Entonces, usted sólo limpia cuidadosamente y ordena la gaveta. Pergaminos aquí, herramientas más allá, sellos a la izquierda, esculturas a la derecha. Después, cierra de nuevo la gaveta, ahora siempre disponible y ordenada.

¿Qué fue lo que sacó de la gaveta? ¿Qué agregó? Nada. Sólo organizó, sistematizó, codificó.

Pues fue sólo eso lo que hicimos. El armario es el Yôga antiguo, cuya herencia nos fue dejada por los Maestros ancestrales. La gaveta es una longitud de onda peculiar en el inconsciente colectivo. Las herramientas son las técnicas del Yôga. Los pergaminos son las enseñanzas de los Maestros del pasado, que nosotros jamás tendríamos la petulancia de querer alterar. Esto fue la sistematización del SwáSthya Yôga.

Por haber sido honesta y cuidadosa en no modificar, no adaptar ni occidentalizar nada, nuestra codificación fue muy bien aceptada por la mayoría de los estudiosos. Hoy, ese método codificado en Brasil existe en todos los continentes. Si alguien no lo conoce por el nombre de SwáSthya Yôga, lo conocerá seguramente por el nombre erudito y antiguo: Dakshinacharatántrika-Niríshwarasámkhya Yôga.

Su denominación ya denota sus orígenes ancestrales, puesto que el Yôga más antiguo (preclásico, preario) era de fundamentación Tantra y Sámkhya. Compare estas informaciones con el cuadro de la *Cronología Histórica* que reproducimos en la próxima página. Ese cuadro sinóptico es explicado en el libro **Yôga Avanzado (SwáSthya Yôga Shástra)**, de este autor, Editorial Deva's.

CRONOLOGÍA HISTÓRICA DEL YÔGA				
DIVISIÓN	YÔGA ANTIGUO		YÔGA MODERNO	
TENDENCIA	Sámkhya		Vêdánta	
PERÍODO	Yôga Preclásico	Yôga Clásico	Yôga Medieval	Yôga Contemporáneo
ÉPOCA	Más de 5 000 años	siglo III a.C.	siglo VIII d.C. / siglo XI d.C.	siglo XX
MAESTRO	Shiva	Pátañjali	Shankara / Gôrakshanatha	Rámakrishna y Aurobindo[1]
LITERATURA	Upanishads	Yôga Sútra	Vivêka Chudamani / Hatha Yôga	Varios libros
FASE	Protohistórica	Histórica		
FUENTE	Shruti	Smriti		
PUEBLO	Drávida	Árya		
LÍNEA	Tantra	Brahmáchárya		

[1] Aunque la tendencia de la mayor parte de los Maestros y Escuelas continúe siendo brahmáchárya, en el período contemporáneo comienza a instalarse una tendencia tántrica (dakshinachara) representada por Aurobindo y Rámakrishna.

NOTA DEL CAPÍTULO X

EL EGO Y EL DAKSHINACHARATÁNTRIKA

Las modalidades de Yôga más conocidas son del tronco medieval (Vêdánta-Brahmáchárya). Una característica de ese linaje es el esfuerzo para aniquilar el ego. Eso confunde mucho a nuestros practicantes (y hasta instructores), pues ese concepto está muy difundido en la India de hoy y en la literatura que provino de allá. Como estudiosos que son, nuestros adeptos traban contacto, de alguna manera, con la bibliografía que brega por la aniquilación del ego, y la mezclan con la propuesta del SwáSthya Yôga.

Cuando un animal es indomable, la solución primitiva es castrarlo. Así hacen los Vêdánta-Brahmácháryas con el ego. Nuestro linaje, cuatro mil años más antiguo que el Yôga Vêdánta-Brahmáchárya, tiene otra opinión. Nosotros entendemos que el ego es una herramienta importante del ser humano. No queremos terminar con el ego, al contrario: nuestro método de trabajo actúa en el sentido de reforzar el ego para poder utilizar su colosal fuerza de realización. Sin ego no hay creatividad, combatividad, arte o belleza. Y más: la mayoría de los que declaran que el ego es esto, que el ego es aquello, son hipócritas, porque manifiestan mucho más ego que los otros, frustrados por no conseguir eliminarlo, o malintencionados, por utilizar ese argumento para manipular a sus seguidores.

Anular el ego sería como castrar un animal de monta y después utilizarlo, caminando cabizbajo, sin libido. Trabajar el ego equivale a domar y montar un caballo andaluz "entero", fogoso, orgulloso, con su cabeza erguida y sus pasos viriles. Usted es el Púrusha, su cabalgadura es el ego. ¿Prefiere montar un caballo derrotado o un elegante semental?

Castrar el ego sería demasiado fácil. Domarlo, eso sí es una empresa que requiere coraje y disciplina. Eliminar el ego corresponde a la cobardía y fuga frente al peligro. Adiestrarlo denota coraje y disposición para la lucha.

El SwáSthya Yôga, nombre moderno del Dakshinacharatántrika-Niríshwarasámkhya Yôga, quiere que usted no esté castrado. El SwáSthya refuerza su libido y su ego. Luego canaliza esa fuerza resultante para fines constructivos. Tener ego no es el problema. Tener un ego maleducado, salvaje, incivilizado, que genera ocasiones de conflicto con las otras personas: ese es el gran inconveniente. Por lo tanto, en lugar de empeñar esfuerzos para destruir, vamos a invertir en algo constructivo. Nada de destruir el ego. Vamos a cultivarlo, con disciplina y con la noción realista de que lo necesitamos para nuestra realización personal, profesional y evolutiva.

ÍNDICE

Al lector 9

Prefacio 11

I. Meditación 15

II. El Síndrome del Vil Metal 23

III. Yôga y espiritualismo 33

IV. La mezcla de líneas, escuelas y Maestros 41

V. Las paranormalidades 55

VI. Sexo y kundaliní 65

VII. Reencarnación 83

VIII. El reconocimiento del Imperio Romano 91

IX. Nuestra saga 97

X. Apariencia personal 115

El despertar 121

Notas de los Capítulos 123

¿Sabe qué es la Unión Nacional de Yôga?
Disculpe, pero no lo sabe

La Unión Nacional de Yôga fue creada y existe para ayudarlo a mejorar sus conocimientos de Yôga, la calidad de sus clases, su éxito en la profesión, así como para aumentar el número de sus alumnos y, en consecuencia, beneficiarlo económicamente.

Lo más interesante es que la afiliación es gratuita.

¿Lo sabía? Claro que no, pues, si lo supiera, ya estaría afiliado y contabilizando esas ventajas en la cuenta de su Unidad, Núcleo o Academia.

Los profesores que entendieron la propuesta de la Unión la usan para duplicar su patrimonio cada mes que permanecen afiliados y, de esa forma, crecer no sólo en la calidad y autenticidad del Yôga que enseñan, sino también mejorando las instalaciones para proporcionar más confort y bienestar a sí mismos y a sus alumnos... y, a mediano plazo, **comprar su propia sede** para apartar las preocupaciones materiales. Al fin y al cabo, éstas no deben interferir en su misión de difundir el Yôga más legítimo.

Si responde: *"sí, pero ahora no se puede"*, sepa que tiene un problema serio de paradigma. En ese caso, no podemos hacer nada por usted. Los otros instructores van a continuar creciendo y usted va a permanecer estancado. Sólo usted puede decidir mejorar el karma de su vida y profesión.

Lo queremos en nuestra familia, queremos su amistad, queremos ayudar-nos mutuamente.

Asoc. *Sus Amigos de la Uni-Yôga*

La fuerza está en la Unión; en la separación, la flaqueza.

Maestro DeRose

INSTRUTORES ACREDITADOS EFECTIVOS

Sería imposible consignar todas las direcciones de nuestra Red. Seleccionamos, entonces, algunos de los mejores y más fieles cumplidores de nuestras normas. Los citamos en nuestro site como reconocimiento por su calidad, disciplina y regularidad en la observancia de nuestras recomendaciones.

Si usted está inscripto en cualquiera de las Unidades Acreditadas, tendrá derecho a frecuentar todas las demás cuando esté de viaje, siempre que demuestre estar al día con su pago en la Unidad de origen y presente los documentos solicitados (este ofrecimiento está sujeto a la disponibilidad de vacantes).

SÃO PAULO – AL. JAÚ 2.000
TEL. (00 55 11) 3081-9821 Y 3088-9491
BUENOS AIRES – AV. CORRIENTES 2.940, 3° 7 –
TEL.: (00 54 11) 4864-7090

**Las direcciones de las demás ciudades se encuentran
en nuestros sitios en Internet**

www.uni-yoga.org
www.uni-yoga.com.ar

Este libro se terminó de imprimir
en Septiembre de 2005 Tel.:(011) 4204-9013
Gral. Vedia 280 Avellaneda
Buenos Aires - Argentina.

Tirada 2000 ejemplares